Le Diable de Jos Violon

Louis Fréchette

Le Diable de Jos Violon

Préface de Jean-Claude Germain

Stanké

Données de catalogage avant publication (Canada)

Fréchette, Louis, 1839-1908

   Le diable de Jos Violon

   ISBN 2-7604-0627-X

   1. Titre.

PS8461.R43D52	1998	C843'.4	C97-941536-5
PS9461.R43D52	1998		
PQ3919.F73D52	1998		

Couverture et illustrations : André Pijet
Infographie : PageXpress

*Les Éditions internationales Alain Stanké bénéficient du soutien
financier du Conseil des Arts du Canada et de la SODEC pour leur
programme de publication.*

©Les Éditions internationales Alain Stanké, 1998

Distribué en Suisse par Diffusion Transat S.A.

ISBN 2-7604-0627-X

Dépôt légal : Bibliothèque nationale du Québec, 1998

Les Éditions internationales Alain Stanké
615, boul. René-Lévesque Ouest
Bureau 1100
Montréal (Québec) H3B 1P5
Tél.: (514) 396-5151
Téléc.: (514) 396-0440

IMPRIMÉ AU QUÉBEC (CANADA)

Préface

Tel diable, pourrait-on dire, telle progéniture. Ou inversement. La tentation fait l'homme comme la pâte fait le pain et l'action du Malin opère comme celle du levain. Sa boulange est toujours à proportion de la fournée. Au marché des âmes, l'offre n'excède jamais la demande, l'appétit ou la faim. Les petites peurs engendrent les petits diables et les grandes angoisses créent le grand Satan.

Le diable du conteur Jos Violon n'est pas le démon faustien qui domine le monde anglo-saxon et protestant depuis le début des temps modernes.

Ce n'est pas un démon de cabinet, c'est un diable voyageur, un diable autodidacte qui a trouvé son éducation au diable au vert[*], en battant la campagne et les rangs de l'arrière-pays plutôt qu'en déchiffrant les grimoires.

Le Grand Charlot, comme on le nomme familièrement au Québec, ne fait pas partie de la coterie intellectuelle des hautes sphères de l'Enfer. Il n'est pas à tu et à toi avec Lucifer comme son collègue Méphisto qui est l'agent contrôleur du docteur Faust et de ses émules contemporains que sont les savants fous et les apprentis sorciers qui menacent quotidiennement de faire sauter la planète sur ordre de la télévision.

Les pouvoirs maléfiques du Grand Charlot sont définis par les besoins de la clientèle. Dans la *Province of Quebec* de la fin du XIXe siècle, les gens du cru

---

[*] Expression québécoise équivalente du classique «au diable vauvert».

invoquent le Malin comme ils courtisent l'organisateur d'élections, pour obtenir des faveurs d'ordre pratique. Ils comptent principalement sur le Diable pour jeter des mauvais sorts, pour embrouiller les pistes en forêt, pour nouer l'aiguillette et empêcher les nouveaux époux de consommer leur mariage, pour hisser le canot de la chasse-galerie dans les airs ou pour inciter la poule noire ensorcelée à pondre des louis d'or et des écus d'argent. Le Diable des pauvres est un pauvre diable.

Pour exercer ses fonctions, Charlot n'a pas besoin d'être versé dans l'astrologie et l'alchimie ou de maîtriser les arcanes de la nécromancie, de l'aéromancie, de la pyromancie ou de la chiromancie. A-t-il même jamais su qu'une des propriétés du sperme que répand un pendu vierge au pied de son gibet est de faire pousser la mandragore ou l'*homunculus*? On peut en douter, sans médire. Quant à insuffler une âme dans une figurine d'argile rouge pour créer un golem, voilà qui est carrément au-dessus de ses capacités. Notre bossu aux yeux de braise n'a pas la bosse des sciences comme son homologue Méphisto.

Selon qu'on est puissant ou misérable, le mal est opulent ou insolvable. Tout est dans le contexte. Avant de devenir une légende, puis un mythe et enfin une vérité «archétypale», le docteur Johann Faust a bel et bien vécu au Wurtemberg.

Dans la forme que lui prête son géniteur littéraire, le dramaturge anglais Christopher Marlowe, Faust, qui est déjà le plus grand théologien de son siècle, ambitionne de devenir l'homme le plus puissant du monde et de partager la couche de la plus belle femme de tous les temps, Hélène de

Troie. Homme de science et de conscience, le héros prométhéen de Marlowe
est prêt à offrir son âme au Prince des
ténèbres en échange de la réalisation
immédiate de ses désirs.

Pour établir les termes et les condi-
tions d'un pacte qui sache répondre aux
tourments de l'esprit nouveau et aux
aspirations secrètes de l'âme moderne,
Lucifer ne pouvait déléguer un vulgaire
Charlot. Son émissaire sera Méphisto,
un ange du mal au goût du jour,
cynique et moqueur, brillant et disert,
qui a tout pour séduire les grands
esprits incrédules avec une offre qu'au-
cune grosse tête ne saurait refuser :
celle de jouer à Dieu.

Autres cieux, autres enjeux. On
peut le regretter, mais Faust n'est pas
québécois, même si, à l'occasion, il
peut être « chouayen » comme Georges-
Étienne Cartier, Wilfrid Laurier ou

Pierre-Elliott Trudeau. Son absence de la panoplie des tentations n'est pas une attestation de vertu collective. C'est un état de fait. Si elle provient du Québec, la proposition d'un pacte faustien avec le Prince des ténèbres n'est pas recevable par l'administration des Enfers.

Jouer à Dieu est un privilège que les Britanniques se sont arrogé au lendemain de la Défaite et qu'ils ont jalousement préservé jusqu'au jour où ils ont dû le céder de mauvaise grâce aux Américains. Le propre des pays qui cherchent à rompre le lien colonial n'est pas la volonté de puissance, mais le désir d'indépendance. Réformer le monde pour lui insuffler l'âme de l'homme nouveau soviétique, du surhomme aryen nazi ou de l'homme global mondial américain demeure le privilège et la tentation des empires.

Le diable québécois œuvre dans un registre beaucoup plus modeste. Tout compte fait, c'est un bon diable qui aboie plus fort qu'il ne mord. Charlot lui-même serait le premier à convenir qu'il n'est pas facile pour un diable de s'imposer à une population qui réserve son opinion en permanence sur tout. Les Québécois n'ont pas attendu l'ère des référendums pour pratiquer le «noui». C'est une seconde nature. Ils n'ont tout simplement pas la fibre tragique. Naviguant de concert, à six par canot, ils espèrent bien traverser la «sainternité» dans une tempête de sacres. Comme les rapides de la Manigance et de la Cuisse.

Le diable de Jos Violon, pour prendre des mots que le conteur applique au gueulard, est *une bête qu'on a jamais vue ni connue, vu que ça existe pas*. En règle générale, le Grand Charlot s'avère d'une discrétion exemplaire. Sauf les soirs de sabbat au Mont à l'Oiseau où il anime la danse des *jacks mistigris, cette bande de scélérats qu'ont pas tant seulement sur les os assez de peau tout ensemble pour faire une paire de mitaines à un quêteux.*

Le malin québécois ne se laisse deviner ou apercevoir qu'à travers les traits de caractère de ceux qui l'invoquent ou le provoquent dans les contes de Louis Fréchette. Dis-moi qui tu fréquentes et je te dirai qui tu es. Le Grand Charlot est à l'image de ses obligés : l'« insécrable » fini Tipite Vallerand, le « galvaudeux » Titange Morisette, l'homme au gosier de fer blanc Tom Caribou, le « vlimeux flambeux » Coq Pomerleau, le « jouor » de violon et « piqueux » Fifi La Branche, l'homme au chapeau pointu Baptiste Lanouette, dit Pain d'Épice, le « ventrimentriloque » Johnny La Picotte, le Grand Zèbe Roberge, qui voyait des sorciers partout, et la « boufresse » Célanire Sarrazin, qui est non seulement l'unique femme de la galerie, mais également la seule à faire tomber la réserve professionnelle de Jos Violon. *Une bouche! Une taille! des joues comme des pommes fameuses, et pi avec ça croustillante, un vrai frisson*, s'échauffe le conteur. *La petite Célanire, je vous mens pas, sprignait au plancher en haut comme une sauterelle; pour tant qu'à moi, je voyais pus clair. Mais, encore une fois, j'en dis pas plusse.*

La raison d'être du démon est d'attirer les pécheurs en enfer, mais il faut bien admettre qu'à cet égard, le Charlot québécois est particulièrement maladroit. Pour tout dire, la plupart sinon la totalité de ses ruses font long feu. Lorsque ses victimes sont invariablement sauvées *in extremis* par une intervention sacramentelle du curé, l'inversion inhabituelle des rôles porte à conclure que c'est la bonne foi du diable québécois qui est abusée.

Quand le Malin en est ainsi réduit à tirer le diable par la queue, doit-on s'en réjouir ou s'en inquiéter? *La plus grande malice du Diable*, a écrit

Baudelaire, *est de faire croire qu'il n'existe pas.* Ne pas savoir donner un nom ou un visage à leurs démons n'est-il pas le lot des pays qui n'ont pas la mémoire de leur histoire?

Jean-Claude Germain

Tipite Vallerand

L e narrateur de la présente signait
Joseph Lemieux; il était connu
sous le nom de José Caron; et tout le
monde l'appelait Jos Violon.

Pourquoi ces trois appellations?
Pourquoi Violon? Vous m'en demandez trop.

C'était un grand individu dégin-
gandé, qui se balançait sur les hanches
en marchant, hâbleur, gouailleur, rica-
neur, mais assez bonne nature, au fond,
pour se faire pardonner ses faiblesses.

Et au nombre de celles-ci – bien
que le mot *faiblesse* ne soit peut-être
pas parfaitement en situation – il fallait

compter au premier rang une disposi-
tion, assez *forte* au contraire, à lever le
coude un peu plus souvent qu'à son
tour.

Il avait passé sa jeunesse dans les
chantiers de l'Ottawa, de la Gatineau
et du Saint-Maurice ; et si vous vouliez
avoir une belle chanson de cage ou une
bonne histoire de cambuse, vous pou-
viez lui verser deux doigts de jamaïque
sans crainte d'avoir à discuter sur la
qualité de la marchandise qu'il vous
donnait en échange.

Il me revient à la mémoire une de
ses histoires, que je veux essayer de
vous redire en conservant, autant que
possible, la couleur caractéristique et
pittoresque que Jos Violon savait donner à ses narrations.

Le conteur débutait généralement
comme ceci :

— Cric, crac, les enfants ! Parli,
parlo, parlons ! Pour en savoir le court
et le long, passez le crachoir à Jos

Violon ! Sacatabi sac-à-tabac, à la porte les ceusses qu'écouteront pas !

Cette fois-là, nous serrâmes les rangs, et Jos Violon entama son récit en ces termes :

— C'était donc pour vous dire, les enfants, que c't'année-là, j'étions allés faire du bois pour les Patton dans le haut du Saint-Maurice – une rivière qui, soit dit en passant, a jamais eu une grosse réputation parmi les gens de chantiers qui veulent rester un peu craignant Dieu.

C'est pas des cantiques, mes amis, qu'on entend là tous les soirs !

Aussi les ceusses qui, parmi vous autres, auraient envie de faire connaissance avec le Diable peuvent jamais faire un meilleur voyage que celui du Saint-Maurice, pour avoir une chance de rencontrer le jeune homme à quèque détour. C'est Jos Violon qui vous dit ça !

J'avions dans not' gang un nommé Tipite Vallerand, de Trois-Rivières, un insécrable fini, un sacreur numéro un.

Trois-Rivières, je vous dis que c'est ça, la ville pour les sacres ! Pour dire comme on dit, ça se bat point.

Tipite Vallerand, lui, les inventait, les sacres.

Trois années de suite, il avait gagné la torquette du Diable à Bytown contre tous les meilleurs sacreurs de Sorel.

Comme sacreur, il était plusse que dépareillé. C'était un homme hors du commun. Les cheveux en redressaient rien qu'à l'entendre.

Avec ça, toujours à moitié plein, ça va sans dire.

J'étions cinq canots en route pour la rivière aux Rats, où c'qu'on devait faire chantier pour l'hiver.

Comme il connaissait le Saint-Maurice dans le fin fond, Tipite Vallerand avait été chargé par le boss de gouverner un des canots – qu'était le mien.

J'aurais joliment préféré un autre pilote, vous comprenez ; mais dans ces voyages-là, si vous suivez jamais la vocation, les enfants, vous voirez qu'on fait ce qu'on peut, et non pas ce qu'on veut.

On nageait fort toute la journée : le courant était dur en diable ; et le soir, ben fatigués, on campait sur la grève – où c'qu'on pouvait.

Et puis, y avait ce qui s'appelle les portages – une autre histoire qu'a pas été inventée pour agrémenter la route et mettre les camarades de bonne humeur, je vous le persuade.

J'avions passé les rapides de la Manigance et de la Cuisse au milieu d'une tempête de sacres.

Jos Violon – vous le savez – a jamais été ben acharné pour bâdrer le bon Dieu et achaler les curés avec ses escrupules de conscience ; mais vrai, là, ça me faisait frémir.

Je défouis pas devant un petit *torrieux* de temps en temps, c'est dans le caractère du voyageur ; mais, tordnom! y a toujours un boute pour envoyer toute la sainternité chez le Diable, c'pas?

Par malheur, notre canot était plus gros, plus pesant et plus chargé que les autres; et – par une rancune du boss, que je présume, comme dit monsieur le curé – on nous avait donné deux nageurs de moins.

Comme de raison, les autres canots avaient pris les devants, et le nôtre s'était trouvé dégradé dès le premier rapide.

Ça fait que Tipite Vallerand, ayant plus d'ordres à recevoir de personne, nous en donnait sus les quat' faces et faisait son petit Jean Lévesque en veux-tu en v'là, comme s'il avait été le bourgeois de tous les chantiers, depuis les chenaux jusqu'à la hauteur des terres.

Fallait y voir sortir ça de la margoulette, les enfants; c'est tout ce que j'ai à vous dire!

À chaque sacre, ma foi de gueux ! je m'attendais à voir le ciel se crever sus notre tête pour nous acrapoutir, ou la rivière s'ouvrir sour le canot pour nous abîmer tous au fond des Enfers, avec chacun un gripette pendu à la crignasse.

Il me semble voir encore le renégat, avec sa face de réprouvé, crachant les blasphèmes comme le jus de sa chique, la tuque sus l'oreille, sa grande chevelure sus les épaules, la chemise rouge ouverte sus l'estomac, les manches retroussées jusqu'aux coudes et le poing passé dans la ceinture fléchée.

Un des jurons les plus dans son élément, c'était : *Je veux que le Diable m'enlève tout vivant par les pieds !* C'était là, comme on dit, son patois.

J'avais pour voisin de tôte un nommé Tanfan Jeannotte, de Sainte-Anne-la-Parade, qui pouvait pas voir sourdre c't'histoire-là, lui, sans grogner. Je l'entendais qui marmottait :

—Il t'enlèvera ben sûr à quèque détour, mon maudit! et c'est pas moi qui fera dire des messes pour ta chienne de carcasse!

J'avions passé la rivière au Caribou, une petite machine de rivière grosse comme rien; mais une boufresse qui se métine un peu croche le printemps, je vous le persuade, les enfants!

Jos Violon en sait quèque chose pour avoir passé trois jours et trois nuits, à cheval sur un billot, en pleine jam, là où c'que tous les saints du paradis y auraient pas porté secours.

Ça fait rien! j'en suis revenu comme vous voyez, avec les erminettes aussi solides que n'importe qui pour la drave, et toujours le blanc d'Espagne dans le poignet pour la grand'hache, Dieu merci!

Enfin, on arrivait à la Bête-Puante – une rivière qu'est pas commode non plus, à ce qu'on dit – et, comme le soir approchait, les hommes commencèrent à parler de camper.

— Camper à la Bête-Puante ? Allez vous faire sacres ! dit Tipite Vallerand. Je veux que le Diable m'enlève tout vivant par les pieds si on campe à la Bête-Puante ! Bête-Puante !

— Mais pourtant, que dit Tanfan Jeannotte, il est ben trop tard pour rejoindre les autres canots ; où donc qu'on va camper ?

— Toi, tu peux te fermer ! beugla Tipite Vallerand, avec un autre sacre qui me fit regricher les cheveux sur la tête ; si y en a un parmi vous autres qui retrousse le nez pour se rébicheter, je sais ben où c'que je vous ferai camper, par exemple, mes calvaires ! C'est tout ce que j'ai à vous dire !

Parole de voyageur, j'suis pourtant d'un naturel bonasse, vous me connaissez ; eh ben, en entendant ça, ça fut plus fort que moi ; j'pus pas m'empêcher de me sentir rougir les oreilles dans le crin.

Je me dis : Jos Violon, si tu laisses un malfaisant comme ça débriscailler le bon Dieu et victimer les sentiments à six bons Canayens qu'ont du poil aux pattes avec un petit brin de religion dans l'équipet du coffre, t'es pas un homme à te remontrer le sifflet dans Pointe-Lévis, je t'en signe mon papier !

— Tipite, que je dis. Écoute, mon garçon ! C'est pas une conduite, ça. Y a des imites pour massacrer le monde. Tu vas nous dire tout de suite où c'qu'on va camper, ou ben j'fourre mon aviron dans le fond du canot.

— Moi étout ! dit Tanfan Jeannotte.

— Moi étout ! Moi étout ! crièrent tous les autres.

— Ah ! oui-da oui !... Ah ! c'est comme ça ! Eh ben, j'vas vous le dire, en effette, où c'que j'allons camper, mes crimes ! fit Tipite Vallerand avec un autre sacre à faire trembler tout un chantier. On va camper au Mont-à-l'Oiseau, entendez-vous ? Et si y en a un qui fourre son aviron dans le fond du canot, ou qui fourre son nez où c'qu'il a pas d'affaire, moi je lui fourre un coup de fusil entre les deux yeux ! Ça vous va-t-y ?

Et tout le monde entendit claquer le chien d'un fusil que le marabout venait d'aveindre d'un sac de toile qu'il avait sous les pieds.

Comme on savait le pendard capable de détruire père et mère, chacun fit le mort.

Avec ça que le nom du Mont-à-l'Oiseau, les enfants, était ben suffisant pour nous calmer, tout ce que j'en étions, que la moitié en était de trop.

À la pensée d'aller camper là, une souleur nous avait passé dans le dos, et je nous étions remis à nager sans souffler motte.

Seulement, je m'aperçus que Tanfan Jeannotte mangeait son ronge et qu'il avait l'air de ruminer quèque manigance qu'annonçait rien de bon pour Tipite Vallerand.

Faut vous dire que le Mont-à-l'Oiseau, c'est pas une place ordinaire.

N'importe queu voyageur du Saint-Maurice vous dira qu'il aimerait cent fois mieux coucher tout fin seul dans le cimiquière que de camper en gang dans les environs du Mont-à-l'Oiseau.

Imaginez-vous une véreuse de montagne de mille pieds de haut, tranchée à pic comme avec un rasoir et qui ferait semblant de se poster en plein travers du chenail pour barrer le passage aux chrétiens qui veulent monter plus haut.

Le pied du cap timbe dret dans l'eau, comme qui dirait à l'équerre ; avec par-ci par-là des petites anses là où c'que, dans le besoin, y aurait toujours moyen de camper comme ci, comme ça, à l'abri des roches ; mais je t'en fiche, mes mignons ! Allez-y voir ! Les anses du Mont-à-l'Oiseau, ça s'appelle « touches-y pas ». Ceusses qu'ont campé là y ont pas campé deux fois, je vous le garantis.

D'abord, ces trous noirs-là, pour dire comme on dit, c'est pas beau tout de suite.

Quand vous avez dret au-dessus de vot' campe, c'te grande bringue de montagne du Démon qui fait la frime de se pencher en avant pour vous reluquer le Canayen avec des airs de rien de bon, je vous dis qu'on n'a pas envie de se mettre à planter le chêne pour faire des pieds de nez !

C'est pas une place où c'que je conseillerais aux cavaliers d'aller faire de la broche avec leux blondes au clair de la lune.

Mais c'est pas toute. La vlimeuse de montagne en fait ben d'autres, vous allez voir.

D'abord elle est habitée par un *gueu-lard*.

Un gueulard, c'est comme qui dirait une bête qu'on a jamais ni vue ni connue, vu que ça existe pas.

Une bête, par conséquence, qu'appartient ni à la congrégation des chrétiens ni à la race des protestants.

C'est ni anglais, ni catholique, ni sauvage ; mais ça vous a un gosier, par exemple, que ça hurle comme pour l'amour du bon Dieu... quoique ça vienne ben sûr du fond de l'Enfer.

Quand un voyageur a entendu le gueulard, il peut dire : « Mon testament est faite ; salut, je t'ai vu ; adieu, je m'en vas. » Y a des cierges autour de son cercueil avant la fin de l'année, c'est tout ce que j'ai à vous dire !

Et puis, y a ce qu'on appelle la danse des jacks mistigris.

Vous savez pas ce que c'est que les jacks mistigris, vous autres, comme de raison. Eh ben, j'vas vous dégoiser ça dans le fin fil.

Vous allez voir si c'est une rôdeuse d'engeance que ces jacks mistigris. Ça prend Jos Violon pour connaître ces poissons-là.

Figurez-vous une bande de scélérats qu'ont pas tant seulement sur les os assez de peau tout ensemble pour faire une paire de mitaines à un quêteux.

Des esquelettes de tous les gabarits et de toutes les corporations : des petits, des grands, des minces, des ventrus, des élingués, des tortus-bossus, des biscornus, des membres de chrétien avec des corps de serpent, des têtes de bœufs sus des cuisses de grenouilles, des individus sans cou, d'autres sans jambes, d'autres sans bras, les uns plantés dret debout sur un ergot, les autres se traînant à six pattes comme des araignées – enfin une vermine du Diable.

Tout ça avec des faces de revenants, des comportements d'impudiques et des gueules puantes à vous faire passer l'envie de renifler pour vingt ans.

Sur les minuit, le gueulard pousse son hurlement; et alors faut voir ressourdre c'te pacotille infernale, en dansant, en sautant, en se roulant, ruant, gigotant, se faisant craquer les jointures et cliqueter les osselets dans des contorsions épouvantables et se bousculant pêle-mêle comme une fricassée de Mardi gras.

Une sarabande de damnés, quoi !

C'est ça, la danse des jacks mistigris !

Si y a un chrétien dans les environs, il est fini. En dix minutes, il est sucé, vidé, grignoté, viré en esquelette; et s'il a la chance de pas être en état de grâce, il se trouve à son tour emmorphosé en jack mistigris et condamné à mener c'te vie de chien-là jusqu'à la fin du monde.

Je vous demande, à c't'heure, si c'était réjouissant pour nous autres d'aller camper au milieu de c'te nation d'animaux-là !

On y fut pourtant.

Disons, pour piquer au plus court, que nous v'là arrivés, la pince du canot dans le sable et les camarades dans les cailloux, avec les ustensiles de couquerie sus le dos.

Pas moyen de moyenner : Tipite Vallerand était là avec son fusil, qui watchait la manœuvre et qui sacrait toujours le bon Dieu et tous les saints du calendrier comme cinq cent mille possédés.

Fallait ben obéir ; et comme j'avions tous une faim de chien, un bon feu de bois sec fut vite allumé, et la marmite se mit à mijoter sa petite chanson comme dans les bonnes années.

Naturellement, j'avions pas pris le temps d'installer une cambuse dans le principe, comme dit monsieur le curé.

Y avait là une grosse talle de bouleaux et j'en avions crochi un gros pied ben solide qu'on avait amarré, en le bandant avec la bosse du canot, comme on fait pour les pièges à loups.

C'est comme ça qu'on pend la crémaillère, dans le voyage, quand on a une chance et qu'on est pressé.

Pas la peine de vous raconter le souper, c'pas?

Je vous promets que la peur du gueulard et des jacks mistigris nous empêcha pas de nous licher les babines et de nous ravitailler les intérieurs.

Ces documents-là, ça peut couper l'appétit aux gens qu'ont leux trois bons repas par jour; mais pas quand il est sept heures du soir et qu'on a nagé contre le courant comme des malcenaires depuis six heures du matin, avec tant seulement pas le temps d'allumer et sans autre désennui que des sacres pour accorder sus l'aviron!

Seulement, après le souper, on avait le visage d'une longueur respectable; et j'avions pas besoin de dire à personne de fermer sa boîte, je vous le garantis.

On se regardait tous sans rien dire, excepté, comme de raison, Tipite Vallerand, qui lâchait de temps en temps sa bordée de sacres, que c'était comme une rente. Personne grouillait; et c'est à peine si on osait tirer une touche, quand Tanfan Jeannotte – le sournois! – se mit à rôder, à rôder, comme s'il avait jonglé quèque plan de nègre.

À chaque instant, il nous passait sur les pieds, s'accrochait dans nos jambes étendues devant le feu; enfin, v'là la chicane prise entre lui et Tipite Vallerand.

Comme de raison, une nouvelle bourrasque de blasphèmes.

Moi, ça me crispait.

— C'est pire qu'un mal de ventre, que je dis, de voir un chrétien maganer le bon Dieu de c'te façon-là!

— Le bon Dieu? que reprend le chéti en ricanant, il peut se fouiller. Y en a pas de bon Dieu par icitte!

Et renotant son jugement d'habitude qu'était viré en vraies zitanies de conversation :

— Si y a un bon Dieu par icitte, qu'il dit, je veux que le Diable m'enlève tout vivant par les pieds !

Bon sang de mon âme ! Jos Violon est pas un menteur ; eh ben, croyez-moi ou croyez-moi pas, Tipite Vallerand avait pas lâché le dernier motte qu'il sautait comme un crapaud, les quat' fers en l'air, en poussant un cri de mort capable de mettre en fuite tous les jacks mistigris et tous les gueulards du Saint-Maurice à la fois.

Il se trouvait tout simplement pendu par les pieds, au bout de not' bouleau, qu'avait lâché son amarre ; et l'indigne se payait une partie de balancine, à six pieds de terre et la tête en bas, sa longue crignasse échevelée faisant qu'un rond et fouettant le vent comme la queue d'un cheval piqué par une nuée de maringouins.

Tout à coup, fifre! La tête de mon sacreur venait de passer tout près de nos tisons, et... ft... ft... ft... v'là-t-y pas le feu dans le balai!

Une vraie flambée d'étoupe, les enfants!

Ça devenait terrible, c'pas?

Moi, je saute sus ma hache, je frappe sus l'âbre, et crac! v'là mon Tipite Vallerand le dos dans les ferdoches, sans connaissance, avec pus un brin de poil sur le concombre pour se friser le toupet.

Pas besoin de vous dire que, cinq minutes après, toute la gang était dans le canot, et, quoique ben fatiguée, nageant à tour de bras pour s'éloigner de c'te montagne de malheur, où c'que personne passe depuis ce temps-là sans raconter l'aventure de Tipite Vallerand.

Quant à lui, le boufre, il fut quinze jours ben malade, et pas capable d'ouvrir les yeux sans voir Charlot-lediable lui tâter les pieds avec un nœud coulant à la main.

Comme de raison, tout le chantier croyait trouver là-dedans une punition du bon Dieu, un miracle.

Mais moi qu'avais watché Tanfan Jeannotte, je l'avais trop vu nous piler sus les pieds, se faufiler dans nos jambes et tripoter la chaîne de la marmite, pour pas me douter que, dans l'affaire du bouleau, pouvait ben y avoir une punition du bon Dieu, mais en même temps une petite twist de camarade.

C'est mon opinion.

Quoi qu'il en soit, comme dit monsieur le curé, ce fut fini fret pour les sacres.

Tipite Vallerand passa l'hiver dans le chantier sans lâcher tant seulement un « ma foi de gueux ».

Il suffisait de dire : *Diable emporte !* pour le faire virer sur les talons comme une toupie.

J'ai revu le garnement quatre ans après ; il était en jupon noir et en surplis blanc, et tuait les cierges dans la chapelle des Piles avec une espèce de petit capuchon de fer-blanc au bout d'un manche de ligne.

— Tipite ! que je lui dis.

— De quoi ? qu'y me répond.

— Tu reconnais pas Jos Violon ?

— Non ! qu'il me dit tout sec en me regardant de travers et en prenant une shire, comme si j'y avais mis une allumette à la jupe.

Ce qui prouve que, s'il s'était guéri de sacrer, il s'était pas guéri de mentir.

Et cric, crac, cra ! Sacatabi, sac-à-tabac ! Mon histoire finit d'en par là. Serrez les ris, ouvrez les rangs ; c'est ça l'histoire à Tipite Vallerand !

Titange

— Ça, c'est un vrai conte de Noël, si y en a un ! dit le vieux Jean Bilodeau. Vous en auriez pas encore un à nous conter, Jos ? Vous avez le temps d'icitte à la messe de mênuit.

— C'est ça, encore un, père Jos ! dit Phémie Boisvert. Vous en sauriez pas un sus la chasse-galerie, c'te machine dont vous venez de parler ?

— Bravo ! s'écria tout le monde à la ronde, un conte de Noël sur la chasse-galerie !

Jos Violon ne se faisait jamais prier.

— Ça y est, dit-il. Cric, crac, les enfants... Parli, parlo, parlons... Exétéra...
Et il était entré en matière :

— C'était donc pour vous dire, les enfants, que, c't'année-là, j'avions pris un engagement pour aller travailler de la grand'hache, au service du vieux Dawson, qu'avait ouvert un chanquier à l'entrée de la rivière aux Rats, sus le Saint-Maurice, avec une bande de hurlots de Trois-Rivières, où c'qu'on avait mêlé tant seurement trois ou quatre chréquins de par en-bas.

Quoique les voyageurs de Trois-Rivières soient un set un peu roffe, comme vous verrez tout à l'heure, on passit pas encore un trop mauvais hiver, grâce à une avarie qu'arriva à un de nous autres, la veille de Noël au soir, et que je m'en vas vous raconter.

Comme pour équarrir, vous savez, y faut une grand'hache avec un piqueux, le boss m'avait accouplé avec une espèce de galvaudeux que les camarades appelaient – vous avez qu'à voir ! – jamais autrement que Titange.

Titange! c'est pas là, vous allez me dire, un surbroquet ben commun dans les chantiers. J'sus avec vous autres; mais enfin c'était pas de ma faute, y s'appelait comme ça.

Comment c'que ce nom-là y était venu?

Y tenait ça de sa mère... avec une paire d'oreilles, mes amis, qu'étaient pas manchotes, je vous le persuade. Deux vraies palettes d'avirons, sus vot' respèque!

Son père, Johnny Morissette, que j'avais connu dans le temps, était un homme de chantier un peu rare pour la solidité des fondations et, quoique d'un sang ben tranquille, un peu fier de son gabareau, comme on dit.

Imaginez la grimace que fit le pauvre homme quand, un beau printemps, en arrivant chez eux après son hivernement, sa femme vint y mettre sous le nez une espèce de coquecigrue qu'avait l'air d'un petit beignet sortant de la graisse, en disant : « Embrasse ton garçon ! »

— C'est que ça ? que fait Johnny Morissette qui manquit s'étouffer avec sa chique.

— Ça, c'est un petit ange que le bon Dieu nous a envoyé tandis que t'étais dans le bois.

— Un petit ange ! que reprend le père. Eh ben, vrai là, j'crairais plutôt que c'est un commencement de bon-homme pour faire peur aux oiseaux !

Enfin, y fallait ben le prendre comme il était, c'pas ; et Johnny Morissette, qu'aimait à charader, voyait jamais passer un camarade dans la rue sans y crier :

— T'entres pas voir mon p'tit ange ?

Ce qui fait, pour piquer au plus court, que tout le monde avait com-mencé par dire le p'tit ange à Johnny Morissette, et que, quand le bijou eut grandi, on avait fini par l'appeler Titange tout court.

Quand je dis « grandi », faudrait pas vous mettre dans les ouïes, les enfants, que le jeune homme pût rien montrer en approchant du gabarit de son père. Ah ! pour ça, non ! Il était venu au monde avorton, et il était resté avorton. C'était un homme manqué, quoi ! à l'exception des oreilles.

Et manquablement que ça le chicotait gros, parce que j'ai jamais vu dans toute ma vie de voyageur, ni sus les cages ni dans les bois, un petit tison d'homme pareil. C'était gros comme rien, et pour se reconsoler, je suppose, ça tempêtait, je vous mens pas, comme vingt-cinq chanquiers à lui tout seul.

À propos de toute comme à propos de rien, il avait toujours la hache au bout du bras et parlait rien que de tuer, d'assommer, de massacrer, de vous arracher les boyaux et de vous ronger le nez.

Les ceusses qui le connaissaient pas le prenaient pour un démon, comme de raison, et le craignaient comme la

peste ; mais moi je savais ben qu'il était
pas si dangereux que tout ça. Et pi,
comme j'étais matché avec, c'pas, fallait ben le prendre en patience. Ce qui
fait qu'on était restés assez bons amis,
malgré son petit comportement.

On jasait même quèque fois sus
l'ouvrage, sans perdre de temps, ben
entendu.

Un bon matin – c'était justement la
veille de Noël – le v'là qui s'arrête
tout d'un coup de piquer et qui me
fisque dret entre les deux yeux, comme
quèqu'un qu'a quèque chose de ben
suspèque à lâcher.

Je m'arrête étout moi, et pi j'le
regarde.

— Père Jos ! qu'y me dit en reluquant autour de lui.

— Quoi c'que y a, Titange ?

— Êtes-vous un homme secret,
vous ?

— M'as-tu jamais vu bavasser ?
que je réponds.

— Non, mais je voudrais savoir si on peut se fier à votre indiscrétion.

— Dame, c'est selon, ça.

— Comment, c'est selon ?

— C'est-à-dire que s'il s'agit pas de faire un mauvais coup...

— Y a pas de mauvais coup là-dedans ; y s'agit tant seurement d'aller faire un petit spree à soir chez le bom' Câlice Doucet de la banlieue.

— Queue banlieue ?

— La banlieue de Trois-Rivières, donc. C'est un beau joueur de violon que le bom' Câlice Doucet ; et pi les aveilles de Noël, comme ça, y a toujours une trâlée de créatures qui se rassemblent là pour danser.

— Mais aller danser à la banlieue de Trois-Rivières à soir ! Quatre-vingts lieues au travers des bois, sans chemins ni voitures... viens-tu fou ?

— J'avons pas besoin de chemins ni de voitures.

—Comment ça? T'imagines-tu qu'on peut voyager comme des oiseaux?

—On peut voyager ben mieux que des oiseaux, père Jos.

—Par-dessus les bois pi les montagnes?

—Par-dessus n'importe quoi.

—J'te comprends pas!

—Père Jos, qu'y dit en regardant encore tout autour de nous autres pour voir si j'étions ben seux, vous avez donc pas entendu parler de la chasse-galerie, vous?

—Si fait.

—Eh ben?

—Eh ben, t'as pas envie de courir la chasse-galerie, je suppose!

—Pourquoi pas? qu'y dit, on est pas des enfants.

Ma grand' conscience! en entendant ça, mes amis, j'eus une souleur. Je sentis, sus vot' respèque, comme une haleine de chaleur qui m'aurait

passé devant la physiolomie. Je barau-
dais sur mes jambes et le manche de
ma grand'hache me fortillait si tellement dans les mains que je manquis la
ligne par deux fois de suite, c'qui
m'était pas arrivé de l'automne.

— Mais, Titange, mon vieux, que je
dis, t'as donc pas peur du bon Dieu?

— Peur du bon Dieu! que dit le
chéti en éclatant de rire. Il est pas par
icitte, le bon Dieu. Vous savez pas
qu'on l'a mis en cache à la chapelle
des Forges? Par en-bas, je dis pas;
mais dans les hauts, quand on a pris
ses précautions, d'abord qu'on est ben
avec le Diable, on est correct.

— Veux-tu te taire, réprouvé! que
j'y dis.

— Voyons, faites donc pas l'habitant, père Jos, qu'y reprend. Tenez, je
m'en vas vous raconter comment que
ça se trime, c't'affaire-là.

Et pi, tout en piquant son plançon
comme si de rien n'était, Titange se

mit à me défiler tout le marmitage. Une invention du Démon, les enfants! Que j'en frémis encore rien que de vous répéter ça.

Faut vous dire que la ville de Trois-Rivières, mes petits cœurs, si c'est une grosse place pour les personnes dévotieuses, c'est ben aussi la place pour les celles qui le sont pas beaucoup. Je connais Sorel dans tous ses racoins; j'ai été au moins vingt fois à Bytown, «là où c'qu'y s'ramasse ben de la crasse», comme dit la chanson; eh ben, en fait de païens et de possédés sus tous les rapports, j'ai encore jamais rien vu pour bitter le faubourg des Quat'-Bâtons à Trois-Rivières. C'est, m'a dire comme on dit, hors du commun.

C'que ces flambeux-là sont capables de faire, écoutez: quand ils partent l'automne, pour aller faire chanquier sus le Saint-Maurice, ils sont ben trop vauriens pour aller à confesse avant de partir, c'pas ; eh ben comme ils ont encore un petit brin de peur du bon Dieu, ils le mettent en cache, à ce qu'y disent.

Comment c'qu'y s'y prennent pour c't'opération-là, c'est c'que je m'en vas vous espliquer, les enfants – au moins d'après c'que Titange m'a raconté.

D'abord y se procurent une bouteille de rhum qu'a été remplie à mênuit, le Jour des morts, de la main gauche, par un homme la tête en bas. Ils la cachent comme y faut dans le canot et, rendus aux Forges, y font une estation. C'est là que se manigance le gros de la cérémonie.

La chapelle des Forges a un perron de bois, c'pas ; eh ben, quand y fait ben noir, y a un des vacabonds qui lève une planche pendant qu'un autre vide la bouteille dans le trou en disant :

— *Gloria patri, gloria patro, gloria patrum !*

Et l'autre répond en remettant la planche, à sa place :

— *Ceusses qu'ont rien pris en ont pas trop d'une bouteille de rhum.*

— Après ça, que dit Titange, si on est correct avec Charlot, on a pas besoin d'avoir peur pour le reste de l'hivernement. Passé la Pointe-aux-Baptêmes, y a pus de bon Dieu, y a pus de saints, y a pus rien ! On peut se promener en chasse-galerie tous les soirs si on veut. Le canot file comme une poussière, à des centaines de pieds au-dessus de terre ; et d'abord qu'on prononce pas le nom du Christ ni de la Vierge, et qu'on prend garde de s'accrocher sus les croix des églises, on va où c'qu'on veut dans le temps de le dire. On fait des centaines de lieues en criant : Jack !

— Et pi t'as envie de partir sus train-là à soir ? que j'y dis.

— Oui, qu'y me répond.

— Et pis tu voudrais m'emmener ?

— Exaltement. On est déjà cinq ; si vous venez avec nous autres, ça fera six : juste, un à la pince, un au gouvernail et deux rameurs de chaque côté. Ça peut pas mieux faire. J'ai pensé à vous, père Jos, parce que vous avez du bras, de l'œil pi du spunk. Voyons, dites que oui, et j'allons avoir un *fun* bleu à soir.

— Et le saint jour de Noël encore ! Y penses-tu ? que je dis.

— Quins ! c'est rien que pour le *fun* ; et le jour de Noël, c'est une journée de *fun*. La veille au soir surtout.

Comme vous devez ben le penser, les enfants, malgré que Jos Violon soye pas un servant de messe du premier limaro, rien que d'entendre parler de choses pareilles, ça me faisait grésiller la pelure comme une couenne de lard dans la poêle.

— Pourtant, faut vous dire que j'avais ben entendu parler de c't'invention de Satan qu'on appelle la chasse-galerie ; que je l'avais même vue passer en plein jour comme je vous l'ai déjà dit, devant l'église de Saint-Jean-Deschaillons; et que je vous cacherai pas que j'étais un peu curieux de savoir comment c'que mes guerdins s'y prenaient pour faire manœuvrer c'te machine infernale. Pour dire comme de vrai, j'avais presquement envie de voir ça de mes yeux.

— Eh ben, qu'en dites-vous, père Jos? que fait Titange. Ça y est-y?

— Ma frime, mon vieux, que je dis dit-il, je dis pas que non. T'es sûr que y a pas de danger?

— Pas plus de danger que sus la main; je réponds de toute!

— Eh ben, j'en serons, que je dis. Quand c'qu'on part?

— Aussitôt que le boss dormira, à neuf heures et demie au plus tard.

— Où ça?

— Vous savez où c'qu'est le grand canot du boss?

— Oui.

— Eh ben, c'est c'ty-là qu'on prend ; soyez là à l'heure juste. Une demi-heure après, on sera cheux le bom' Câlice Doucet. Et pi, en avant le *quick step*, le double-double et les ailes de pigeon ! Vous allez voir ça, père Jos, si on en dévide une rôdeuse de messe de mênuit, nous autres, les gens de Trois-Rivières...

Et en disant ça, l'insécrable se met à danser sus son plançon un pas d'harla-patte en se faisant claquer les talons, comme s'il avait déjà été dans le milieu de la place chez le bom' Câlice Doucet à faire sauter les petites créatures de la banlieue de Trois-Rivières.

Tant qu'à moi, ben loin d'avoir envie de danser, je me sentais grémir de peur.

Mais vous comprenez ben, les enfants, que j'avais mon plan.

Aussi, comme dit monsieur le Curé, je me fis pas attendre. À neuf heures et demie sharp, j'étais rendu avant les autres et j'eus le temps de coller en cachette une petite image de l'Enfant-Jésus dret sur la pince du canot.

— Ça c'est plus fort que le Diable, que je dis en moi-même ; et j'allons voir c'qui va se passer.

— Embarquons, embarquons vite ! que dit Titange à demi haut à demi bas, en arrivant avec quatre autres garnements et en prenant sa place au gouvernail. Père Jos, vous avez de bons yeux, mettez-vous à la pince et tenez la bosse. Les autres, aux avirons ! Personne a de scapulaire sus lui ?

— Non.

— Ni médailles ?

— Non.

— Ni rien de bénit, enfin ?

— Non, non, non !

— Bon ! Vous êtes tous en place ? Attention là, à c't'heure ! et que tout le monde répète par derrière moi : « Satan, roi des Enfers, enlève-nous dans les airs ! Par la vertu de Belzébuth, mène-nous dret au but ! Acabris, acabras, acabram, fais-nous voyager par-dessus les montagnes!» Nagez, nagez, nagez fort... à c't'heure!

Mais j't'en fiche, on avait beau nager, le canot grouillait pas.

— Quoi c'que ça veut dire, ça, bout de crime? que fait Titange. Vous avez mal répété: recommençons!

Mais on eut beau recommencer, le canot restait là, le nez dans la neige, comme un corps sans âme.

— Mes serpents verts! que crie Titange en lâchant une bordée de sacres; y en a parmi vous autres qui trichent. Débarquez les uns après les autres, on voira ben.

Mais on eut beau débarquer les uns après les autres, pas d'affaires! la machine partait pas.

— Eh ben, j'y vas tout seul, mes calvaires! et que le gueulard du Saint-Maurice fasse une fricassée de vos tripes! «Satan roi des Enfers...»

Exétéra.

Mais il eut beau crier : « Fais-moi voyager par-dessus les montagnes », bernique ! Le possédé était tant seurement pas fichu de voyager par-dessus une clôture.

Le canot était gelé raide.

Pour lorse, comme dit monsieur le curé, ce fut une tempête que les cheveux m'en redressent encore rien que d'y penser.

— Ma hache ! ma hache ! que criait Titange en s'égosillant comme un vrai nergumène. Je tue, j'assomme, j'massacre ! Ma hache !

Par malheur, y s'en trouvait ben, une de hache, dans le fond du canot.

Le malvat l'empoigne, et dret deboute sus une des tôtes, et ses oreilles de calèche dans le vent, y la fait tourner cinq ou six fois autour de sa tête, que c'en était effrayant. Y se connaissait pus !

C'était une vraie curiosité, les enfants, de voir ce petit maigrechigne

qu'avait l'air d'un maringouin pom-
monique et pi qui faisait un sacacoua
d'enfer, qu'on aurait dit une bande de
bouledogues déchaînés.

Tout le chantier r'soudit, c'pas, et
fut témoin de l'affaire.

C'est au canot qu'il en voulait, à
c't'heure.

— Toi, qu'y dit, mon cierge bleu !
J'ai recité les mots corrects ; tu vas
partir ou ben tu diras pourquoi !

Et en disant ça, y se lance avec sa
hache pour démantibuler le devant du
canot, là où c'qu'était ma petite image.

Bon sang de mon âme ! on n'eut
que le temps de jeter un cri.

La hache s'était accrochée d'une
branche, avait fait deux tours en y
échappant des mains et était venue
retimber dret sus le bras étendu du
malfaisant que la secousse avait fait
glisser les quat' fers en l'air dans le
fond du canot. Le pauvre diable avait
les nerfs du poignet coupés net. Ce

soir-là, à mênuit, tout le chantier se mit à genoux et dit le chapelet en l'honneur de l'Enfant-Jésus.

Plusse que ça, le jour de l'an au soir, y nous arrivit un bon vieux missionnaire dans le chanquier, et on se fit pas prier pour aller à confesse tout ce que j'en étions, c'est tout c'que j'ai à vous dire; Titange le premier.

Tout piteux d'avoir si mal réussi à mettre le bon Dieu en cache, y profitit même de l'occasion pour prendre le bord de Trois-Rivières, sans viser un seul instant, j'en signerais mon papier, à aller farauder les créatures cheux le bom' Câlice Doucet de la banlieue.

Une couple d'années après ça, en passant aux Forges du Saint-Maurice, j'aperçus, accroupi sus le perron de la chapelle, un pauvre quêteux qu'avait le poignet tout crochi et qui tendait la main avec des doigts encroustillés et racotillés sans comparaison comme un croxignole de Noël.

En m'approchant pour y donner un sou, je reconnus Titange à Johnny Morissette, mon ancien piqueux.

Et cric, crac, cra! Exétéra.

Tom Caribou

—Cric, crac, les enfants! Parli, parlo, parlons! Pour en savoir le court et le long, passez l'crachoir à Jos Violon. Sacatabi, sac-à-tabac! À la porte les ceusses qu'écouteront pas!

C'était la veille de Noël.

J'étais tout jeune bambin, et, pour me consoler de ne pas aller à la messe de minuit – il y avait plus d'une lieue de chez nous à l'église, et un accident quelconque était arrivé à notre cheval dans le cours de la journée – mon père m'avait permis, bien accompagné naturellement, d'assister à une *veillée de contes* dont Jos Violon devait faire les frais chez le père Jean Bilodeau, un bon vieux de nos voisins que je vois encore assis à la porte du poêle, les coudes sur les genoux, avec le tuyau de son brûle-gueule enclavé entre les trois incisives qui lui restaient.

Jos Violon, comme on le sait peut-être, était un type très amusant qui avait passé sa jeunesse dans les chantiers de « bois carré » et qui n'aimait rien tant que de raconter ses aventures de voyages dans les « pays d'en haut », comme on appelait alors les coupes de bois de l'Ottawa, de la Gatineau ou du Saint-Maurice.

Ce soir-là, il était en verve.

Il avait été « compère » le matin, suivant son expression ; et comme les accessoires de la cérémonie lui avaient mis un joli brin de brise dans les voiles, une histoire n'attendait pas l'autre.

Toutes des histoires de chantier, naturellement : batailles, accidents, pêches extraordinaires, chasses miraculeuses, apparitions, sortilèges, prouesses de toutes sortes, il y en avait pour tous les goûts.

— Dites-nous donc un conte de Noël, Jos, si vous en savez, en attendant qu'on parte pour la messe de mênuit, fit quelqu'un – une jeune fille qu'on appelait Phémie Boisvert, si je me rappelle bien.

Et Jos Violon, qui se vantait de connaître les égards dus au *sesque*, avait tout de suite débuté par les paroles sacramentelles que j'ai rapportées plus haut.

À la suite de quoi, après s'être humecté la luette avec un doigt de jamaïque et avoir allumé sa pipe à la chandelle à l'aide d'une de ces longues allumettes en cèdre dont nos pères, à la campagne, se servaient avant et même assez longtemps après l'invention des allumettes chimiques, il entama son récit en ces termes :

— C'était donc pour vous dire, les enfants, que, cette année-là, j'avions été faire une cage de pin rouge en haut de Bytown, à la fourche d'une petite rivière qu'on appelle la Galeuse, histoire, je présuppose, de rimer avec la Pouilleuse qui se trouve un peu plus loin, du côté du lac à la Varmine.

Un pays, comme vous voyez, qui peut donner des démangeaisons, rien qu'à en entendre parler.

J'étions quinze dans not' chantier : le boss, le commis, le couque, un ligneux, le charrequier, deux coupeux de chemin, deux piqueurs, six grand'haches, épi un choreboy, autrement dit marmiton.

Tous des hommes corrects, bons travailleurs, pas chicaniers, pas bâdreux, pas sacreurs – on parle pas, comme de raison, d'un petit torrieux de temps en temps pour émoustiller la conversation – et pas ivrognes.

Excepté un, dame ! faut ben le dire, un toffe !

Ah ! pour celui-là, par exemple, les enfants, on appelle pus ça ivrogne ;

quand il se rencontrait face à face avec une cruche ou qu'il se trouvait le museau devant un flacon, c'était pas un homme, c'était un entonnoir.

Y venait de quèque part derrière les Trois-Rivières.

Son nom de chrétien était Thomas Baribeau ; mais comme not' foreman qu'était un Irlandais avait toujours de la misère à baragouiner ce nom-là en anglais, je l'avions baptisé parmi nous autres du surbroquet de *Tom Caribou*.

Thomas Baribeau, Tom Caribou, ça se ressemblait, c'pas ? Enfin, c'était son nom de cage, et le boss l'avait attrapé tout de suite, comme si ç'avait été un nom de sa nation.

Toujours que, pour parler, m'a dire comme on dit, à mots couverts, Tom Caribou ou Thomas Baribeau, comme on voudra, était un gosier de fer-blanc première qualité, et par-dessus le marché, faut y donner ça, une rogne patente ; quèque chose de dépareillé.

Quand je pense à tout ce qu'y ai entendu découdre contre le bon Dieu, la sainte Vierge, les anges et toute la saintarnité, il m'en passe encore des souleurs dans le dos.

Il inventait la vitupération des principes, comme dit monsieur le curé.

Ah ! l'enfant de sa mère, qu'il était donc chéti, c't'animal-là !

Ça parlait au Diable, ça vendait la poule noire, ça reniait père et mère cinq six fois par jour, ça faisait jamais long comme ça de prière : enfin, je vous dirai que toute sa gueuse de carcasse, son âme avec, valait pas, sus vot' respèque, les quat' fers d'un chien. C'est mon opinion.

Y en avait pas manque dans not' gang qui prétendaient l'avoir vu courir le loup-garou à quat' pattes dans les champs, sans comparaison comme une bête, m'a dire comme on dit, qu'a pas reçu le baptême.

Tant qu'à moi, j'ai vu le véreux à quat' pattes ben des fois, mais c'était pas pour courir le loup-garou, je vous le persuade ; il était ben trop saoûl pour ça.

Tout de même, faut vous dire que pendant un bout de temps, j'étais un de ceux qui pensaient ben que si le flambeux courait queuque chose, c'était plutôt la chasse-galerie, parce qu'un soir, Titoine Pelchat, un de nos piqueurs, l'avait surpris qui descendait d'un grot'âbre, et qui y avait dit : « Toine, mon maudit, si t'as le malheur de parler de d'ça, je t'étripe fret, entends-tu ? »

Comme de raison, Titoine avait raconté l'affaire à tout le chantier, mais sous secret.

Si vous savez pas ce que c'est que la chasse-galerie, les enfants, c'est moi qui peux vous dégoiser ça dans le fin fil, parce que je l'ai vue, moi, la chasse-galerie.

Oui, moi, Jos Violon, un dimanche midi, entre la messe et les vêpres, je l'ai vue passer en l'air, dret devant l'église de Saint-Jean-Deschaillons, sus mon âme et conscience, comme je vous vois là !

C'était comme qui dirait un canot qui filait, je vous mens pas, comme une ripouste, à cinq cents pieds de terre pour le moins, monté par une dizaine de voyageurs en chemise rouge qui nageaient comme des damnés, avec le Diable deboute sus la pince de derrière qui gouvernait de l'aviron.

Même qu'on les entendait chanter en répondant avec des voix de païens :

« V'là l'bon vent ! V'là l'joli vent ! »

Mais il est bon de vous dire aussi que y a d'autres malfaisants qu'ont pas besoin de tout ce bataclan-là pour courir la chasse-galerie.

Les vrais hurlots comme Tom Caribou, ça grimpe tout simplement d'un âbre, épi ça se lance sus une branche, sus un bâton, sus n'importe quoi, et le Diable les emporte.

Y font jusqu'à des cinq cents lieues d'une nuit pour aller marmiter on sait pas queux manigances de réprouvés dans des racoins où c'que les honnêtes gens voudraient pas mettre le nez pour une terre.

En tout cas, si Tom Caribou courait pas la chasse-galerie, quand y s'évadait le soir tout fin seul en regardant par derrière lui si on le watchait, c'était toujours pas pour faire ses dévotions, parce que – y avait du sorcier là-dedans – malgré qu'on n'eût pas une goutte de boisson dans le chantier, l'insécrable empestait le rhum à quinze pieds, tous les matins que le bon Dieu amenait.

Où c'qu'il prenait ça? Vous allez le savoir, les enfants.

J'arrivions à la fin du mois de décembre et la Noël approchait, quand une autre escouade qui faisait chantier pour le même bourgeois, à cinq lieues plus haut que nous autres sus la

Galeuse, nous fit demander que si on
voulait assister à la messe de mênuit,
j'avions qu'à les rejoindre, vu qu'un
missionnaire qui r'soudait de chez les
sauvages du Nipissingue serait là pour
nous la chanter.

— Batêche ! qu'on dit, on voit pas
souvent d'Enfant-Jésus dans les chantiers, ça y sera !

On n'est pas des anges, dans la profession de voyageurs, vous comprenez,
les enfants.

On a beau pas invictimer les saints,
épi escandaliser le bon Dieu à cœur de
jour, comme Tom Caribou, on passe
pas six mois dans le bois épi six mois
sus les cages par année sans être un
petit brin slack sus la religion.

Mais y a toujours des imites pour
être des pas grand'chose, pas vrai ! Malgré qu'on attrape pas des crampes aux
mâchoires à ronger les balustres et
qu'on fasse pas la partie de brisque tous
les soirs avec le bedeau, on aime

toujours à se rappeler, c'pas, qu'un Canayen a d'autre chose que l'âme d'un chien dans le moule de sa bougrine, sus vot' respèque.

Ça fait que la tripe fut ben vite décidée, et toutes les affaires arrimées pour l'occasion.

Y faisait beau clair de lune; la neige était snog pour la raquette; on pouvait partir après souper, arriver correct pour la messe et être revenus flèche pour déjeuner le lendemain matin, si par cas y avait pas moyen de coucher là.

— Vous irez tout seuls, mes bouts de crime! dit Tom Caribou, avec un chapelet de blasphèmes à faire dresser les cheveux et en frondant un coup de poing à se splitter les jointures sur la table de la cambuse.

Pas besoin de vous dire, je présuppose, que personne de nous autres s'avisit de se mettre à genoux pour tourmenter le pendard. C'était pas l'absence d'un marabout pareil qui pouvait faire manquer la cérémonie, et j'avions pas besoin de sa belle voix pour entonner la *Nouvelle agréable*.

— Eh ben, si tu veux pas venir, lui dit le foreman, gêne-toi pas, mon vieux, tu garderas la cabane. Et puisque tu veux pas voir le bon Dieu, je te souhaite de pas voir le Diable pendant qu'on y sera pas.

Pour lorse, les enfants, que nous v'là partis, la ceinture autour du corps, les raquettes aux argots, avec chacun son petit sac de provisions sur l'épaule et la moiquié d'une torquette de travers dans le gouleron.

Comme on avait qu'à suivre la rivière, la route faisait risette, comme vous pensez bien ; et je filions en chantant *La Boulangère*, sus la belle neige fine avec un ciel comme qui dirait viré en cristal, ma foi de gueux, sans rencontrer tant seulement un bourdignon ni une craque pour nous interboliser la manœuvre.

Tout ce que je peux vous dire, les enfants, c'est qu'on a pas souvent de petites parties de plaisir comme ça dans les chantiers !

Vrai, là ! on s'imaginait entendre la vieille cloche de la paroisse qui nous chantait : *Viens donc ! viens donc !* comme dans le bon vieux temps ; et des fois, le mistigris m'emporte ! je me retournais pour voir si je voirais pas venir derrière nous autres queuque beau petit trotteur de par cheux nous, la crigne au vent, avec sa paire de clochettes pendue au collier ou sa bande de gorlots fortillants à la martingale.

C'est ça qui vous dégourdissait le Canayen un peu croche !

Et je vous dis, moi, attention ! que c'était un peu beau de voir arpenter Jos Violon ce soir-là ! C'est tout ce que j'ai à vous dire.

Not' messe de mênuit, les enfants, j'ai pas besoin de vous dire que ça ne fut pas fionné comme les cérémonies de Monseigneur.

Le curé avait pas un set de garnitures numéro trente-six; les agrès de l'autel reluisaient pas assez pour nous éborgner; les chantres avaient pas toute le sifflette huilé comme des gosiers de rossignols, et les servants de messe auraient eu, j'crois ben, un peu plus de façon l'épaule sour le cantouque que l'encensoir au bout du bras.

Avec ça que y avait pas plus d'Enfant-Jésus que sus la main! Ce qui est pas, comme vous savez, rien qu'un bouton de bricole de manque pour une messe de mênuit.

Pour dire la vérité, le saint homme Job pouvait pas avoir un gréement pus pauvre que ça pour dire sa messe!

Mais c't'égal, y a ben eu des messes en musique qui valaient pas c't'elle-là, mes p'tits cœurs, je vous en donne la parole d'honneur de Jos Violon!

Ça nous rappelait le vieux temps, voyez-vous, la vieille paroisse, la vieille maison, la vieille mère... exétéra.

Bon sang de mon âme, les enfants, Jos Violon est pas un pince-la-lippe, ni un braillard de la Madeleine, vous savez ça ; eh ben, je finissais pas de changer ma chique de bord pour m'empêcher de pleurer.

Mais y s'agit pas de tout ça, faut savoir ce qu'était arrivé à Tom Caribou pendant not' absence.

Comme de raison, c'est pas la peine de vous conter qu'après la messe, on revint au chantier en piquant au plus court par le même chemin. Ce qui fait qu'il était grand jour quand on aperçut la cabane.

D'abord on fut joliment surpris de pas voir tant seulement une pincée de boucane sortir du tuyau ; mais on le fut encore ben plusse quand on trouvit la porte toute grande ouverte, le poêle

raide mort et pas plus de Tom Caribou
que dans nos sacs de provisions.

Je vous mens pas, la première idée
qui nous vint, c'est que le Diable l'avait
emporté.

Un vacabond de c't'espèce-là, c'pas?

— Mais c't'égal, qu'on se dit, faut
toujours le sarcher.

C'était pas aisé de le sarcher, vu
qu'il avait pas neigé depuis plusieurs
jours et qu'y avait des pistes épar-
pillées tout alentour de la cabane et
jusque dans le fond du bois, si ben en-
croisaillées de tout bord et de tout côté
que y avait pas moyen de s'y reconnaître.

Chanceusement que le boss avait
un chien ben smart: *Polisson*, qu'on
l'appelait par amiquié.

— Polisson, sarche, qu'on lui dit.

Et v'là Polisson parti en furetant, la
queue en l'air, le nez dans la neige; et
nous autres par derrière avec un fusil à
deux coups chargé à balle.

On savait pas ce qu'on pourrait rencontrer dans le bois, vous comprenez ben.

Et je vous dis, les enfants, que j'avions un peu ben fait de pas oublier c't'instrument-là, comme vous allez voir.

Dans les chantiers faut des précautions.

Un bon fusil d'enne cabane, c'est sans comparaison comme le cotillon d'une créature dans le ménage. Rappelez-vous ben ça, les enfants.

Toujours que c't'fois-là, c'est pas à cause que c'est moi qui le manœuvrais, mais je vous persuade qu'il servit à queuque chose, le fusil.

Y avait pas deux minutes qu'on reluquait à travers les branches que v'là not' chien figé dret sus son derrière et qui tremblait comme une feuille.

Parole de Jos Violon, j'crois que si le vlimeux avait pas eu honte, y revirait de bord pour se sauver à la maison.

Moi, je perds pas de temps, j'épaule mon fusil et j'avance...

Vous pourrez jamais vous imaginer, les enfants, de quoi t'est-ce que j'aperçus dret devant moi, dans le défaut d'une petite coulée, là où c'que le bois était un peu plus dru et la neige un peu plus épaisse qu'ailleurs.

C'était pas drôle ! je vous en signe mon papier.

Ou plutôt, ça l'aurait ben été si ç'avait pas été si effrayant.

Imaginez-vous que not' Tom Caribou était braqué dans la fourche d'un gros merisier, blanc comme un drap, les yeux sortis de la tête et fisqués su la physiolomie d'une mère d'ourse qui tenait le merisier à brasse-corps, deux pieds au-dessous de lui.

Batiscan d'une petite image ! Jos Violon est pas un homme pour cheniquer devant une crêpe à virer, vous savez ça; eh ben, le sang me fit rien qu'un tour depuis la grosse orteil jusqu'à la fossette du cou.

— C'est le temps de pas manquer ton coup, mon pauvre Jos Violon, que je me dis. Envoie fort, ou ben fais ton acte de contorsion !

Y avait pas à barguiner, comme on dit. Je fais ni une ni deux, vlan ! Je vrille mes deux balles raide entre les deux épaules de l'ourse.

La bête pousse un grognement, étend les pattes, lâche l'âbre, fait de la toile et timbe sus le dos, les reins cassés.

Il était temps.

J'avais encore mon fusil à l'épaule que je vis un autre paquet dégringoler de l'âbre.

C'était mon Tom Caribou, sans connaissance, qui venait s'élonger en plein travers de l'ourse, les quat' fers en l'air, avec un rôdeux de coup de griffe dans le fond... de sa conscience, et la tête... devinez, les enfants ! La tête toute blanche !

Oui, la tête blanche ! la crignasse y avait blanchi de peur dans c'te nuit-là, aussi vrai que je vas prendre un coup tout à l'heure, avec la grâce du bon Dieu et la permission du père Bilodeau, que ça lui sera rendu, comme on dit, au *sanctus*.

Oui, vrai ! le malvat avait vieilli au point que j'avions de la misère à le reconnaître.

Pourtant c'était ben lui, et fallait pas l'ambâdonner.

Vite, on afistole une estèque avec des branches, épi on couche mon homme dessus, en prenant ben garde, naturellement, au jambon que l'ourse y avait détérioré dans les bas côtés de la corporation ; épi on le ramène au chantier, à moitié mort et aux trois quarts gelé, raide comme un saucisson.

Après ça, dame, il fallait aussi draver l'ourse jusqu'à la cambuse.

Mais v'là-t-y pas une autre histoire !

Vous traiterez Jos Violon de menteur si vous voulez, les enfants ; c'était pas croyable, mais la vingueuse de bête sentait la boisson, sans comparaison comme une vieille tonne défoncée ; que ça donnait des envies de licher l'animal, à ce que disait Titoine Pelchat.

Tom Caribou avait jamais eu l'haleine si ben réussie.

Mais, laissez faire, allez, c'était pas un miracle.

On comprit l'affaire quand Tom fut capable de parler et qu'on apprit ce qui était arrivé.

Vous savez, les enfants – si vous le savez pas, c'est Jos Violon qui va vous le dire – que les ours passent pas leux hiver à travailler aux chantiers comme nous autres, les bûcheux de bois carré, autrement dits voyageurs.

Ben loin de travailler, c'te nation-là pousse la paresse au point qu'ils mangent seulement pas.

Aux premières gelées de l'automne, y se creusent un trou entre les racines d'un âbre et se laissent enterrer là tout vivants dans la neige qui fond par-dessour, de manière à leux faire une espèce de réservoir, là où c'qu'ils passent leur hivernement, à moitié endormis comme des armottes, en se lichant les pattes en guise de repas.

Le nôtre, ou plutôt celui de Tom Caribou, avait choisi la racine de ce merisier-là pour se mettre à l'abri, tandis que Tom Caribou avait choisi la fourche... je vous dirai pourquoi tout à l'heure.

Seulement – vous vous rappelez, c'pas, que le terrain allait en pente – Tom Caribou, c'qu'était tout naturel, rejoignait sa fourche du côté d'en-haut; et l'ourse, c'qu'était ben naturel étout, avait creusé son trou du côté d'en-bas, où c'que les racines étaient plus sorties de terre.

Ce qui fait que les deux animaux se trouvaient presque voisins sans s'être jamais rencontrés. Chacun s'imaginait qu'il avait le merisier pour lui tout seul.

Vous allez me demander quelle affaire Tom Caribou avait dans c'te fourche.

Eh ben, dans c'te fourche, y avait un creux, et dans ce creux notre ivrogne avait caché une cruche de whisky en esprit qu'il avait réussi à faufiler dans le chantier, on sait pas trop comment.

On suppose qu'il nous l'avait fait traîner entre deux eaux, au bout d'une ficelle, en arrière du canot.

Toujours est-il qu'il l'avait! Et le soir, en cachette, il grimpait dans le merisier pour aller emplir son flasque.

C'était de c't'âbre-là que Titoine Pelchat l'avait vu descendre la fois qu'on avait parlé de chasse-galerie; et c'est pour ça que tous les matins, on aurait pu lui faire flamber le soupirail rien qu'en lui passant un tison sous le nez.

Ainsi donc, comme dit monsieur le curé, après not' départ pour la messe de mênuit, Tom Caribou avait été emplir son flasque.

Un jour de grand' fête, comme de bonne raison, le flasque s'était vidé vite malgré que le vicieux fût tout seul à se payer la traite ; et mon Tom Caribou était retourné à son armoire pour renouveler ses provisions.

Malheureusement, si le flasque était vide, Tom Caribou l'était pas, lui. Au contraire, il était trop plein.

La cruche s'était débouchée et le whisky avait dégorgé à plein gouleron de l'autre côté du merisier, dret sus le museau de la mère ourse.

La vieille s'était d'abord liché les babines en reniflant ; et trouvant que c'te pluie-là avait un drôle de goût et une curieuse de senteur, elle avait ouvert les yeux. Les yeux ouverts, le whisky avait coulé dedans.

Du whisky en esprit, les enfants, faut pas demander si la bête se réveillit pour tout de bon.

En entendant le hurlement, Tom Caribou était parti à descendre; mais, bougez pas! l'ourse, qui l'avait entendu grouiller, avait fait le tour de l'âbre, et avant que le malheureux fût à moitié chemin, elle lui avait posé, sus vot' respèque, pour parler dans les tarmes, la patte dret sur le rond-point.

Seulement, l'animal était trop engourdi pour faire plusse; et, pendant que not' possédé se racotillait dans l'âbre, le l'envers du frontispice tout ensanglanté, il était resté à tenir le merisier à brassée, sans pouvoir aller plus loin.

V'là ce qui s'était passé. Vous voyez que, si l'ourse sentait le whisky, c'était pas un miracle.

Pauvre Tom Caribou! Entre nous autres, ça prit trois grandes semaines pour lui radouer le fond de cale. C'est

Titoine Pelchat qui y collait les cata-pleumes sus la ..., comme disent les notaires, sur la propriété foncière.

Jamais on parvint à mettre dans le cabochon de notre ivrogne que c'était pas le Diable en personne qu'il avait vu et qui y avait endommagé le cadran de c'te façon-là.

Fallait le voir tout piteux, tout cireux, tout débiscaillé, le toupet comme un croxignole roulé dans le sucre blanc, et qui demandait pardon, même au chien, de tous ses sacres et de toutes ses ribotes.

Il pouvait pas s'assire, comme de raison ; pour lorse qu'il était obligé de rester à genoux.

C'était sa punition pour pas avoir voulu s'y mettre d'un bon cœur le jour de Noël...

Et cric ! crac ! cra !

Sacatabi, sac-à-tabac !

Mon histoire finit d'en par là.

Coq Pomerleau

C'est toujours le même vieux conteur, c'est-à-dire Jos Violon qui parle :

— Vous avez p'tête ben entendu dire, les enfants, que dans les pays d'en haut, y avait des rivières qui coulent en remontant. Ç'a l'air pas mal estrédinaire, c'pas ; eh ben faut pas toujours rire des ceusses qui vous racontent ça. S'ils ont vu c'que j'ai vu, moi Jos Violon qui vous parle, y peuvent en faire serment sus l'échafaud devant n'importe queu juge à paix. Ces rivières-là, c'est des rivières ensorcelées par queuque maréfice ; écoutez ben c'que je m'en vas vous raconter.

Et, après s'être humecté la luette d'un petit verre de rhum, s'être fait claquer la langue avec satisfaction et s'être essuyé les lèvres du revers de sa manche, le vétéran des pays d'en haut aborda carrément son sujet par sa formule ordinaire :

—C'était donc pour vous dire, les enfants, que dans c't'automne-là j'étions, m'a dire comme on dit, en décis de savoir si j'irais en hivernement. Y avait quatorze ans que je faisais chantier ; je connaissais les hauts sus le bout de mon doigt, le méquier commençait à me fatiguer le gabareau et j'avions quasiment une idée de me reposer avec la bonne femme en attendant le printemps.

J'avions même déjà refusé deux bons engagements quand je vis r'soudre un de mes grands-oncles de la Beauce, le bom' Gustin Pomerleau que j'avions pas vu depuis l'année du grand choléra. Y m'emmenait son garçon pour y faire

faire sa cléricature de voyageur et son apprentissage dans l'administration de la grand'hache et du bois carré.

Ça prenait Jos Violon pour ça, vous comprenez !

Le bonhomme aimait à faire des rimettes :

— Mon neveu, qu'y me dit, v'là mon fils, j'te le confie pour son profit.

Faulait ben répondre sus la même air, c'pas. J'lui réciproque :

— Père Pomerleau, j'sus pas un gorlot, laissez-moi le matelot, *sed libera nos a malo* !

C'est ça, par exemple qui tordit l'ambition au bom' Gustin ! Y pensait pas que Jos Violon pouvait le matcher de c'te façon-là, ben sûr.

— Comment c'qui s'appelle, le p'tit ? que je dis.

— Ah ! ben dame, ça, comment c'qui s'appelle, je pourrais pas dire. Son parrain y avait donné un drôle de nom qui rimait tout d'travers ; et comme sa mère pouvait jamais se rappeler de ce saint-là, elle l'a toujours appelé P'tit Coq. Ça fait que depuis sa naissance, les gens de par cheux nous l'appellent pas autrement que le Coq à Pomerleau, ou ben Coq Pomerleau tout court. On y connaît pas d'aut' sinature.

Et pour mettre le fion au document, v'là le bonhomme encore parti sur la rimette :

— Tu trouveras pas, sus vot' respèque, dans tout Québec, la pipe au bec, un jeune homme plus corrèque, t'auras pas honte avec !

— Eh ben, que je dis dit-il, ça y est, mon Coq, j'te prends. Va t'acheter une chemise rouge, des bottes malouines, une paire de raquettes, un couteau à ressort, un batte-feu avec une ceinture fléchée : t'es mon clerc ! Et pi, si t'es plucky et que tu te comportes en brick, y aura pas un oiseau dans Sorel pour t'en remontrer l'année prochaine, je t'en signe mon papier !

Huit jours après, on se crachait dans les mains, et ho ! sus l'aviron !

Parce que faut vous dire, les enfants, que dans c'temps-là, c'était pas le *John Munn* ni le *Québec* qui nous montait au Montréal. On faisait la route en canot d'écorce, comme des sauvages, par gang de trois, quatre, cinq canots, en nageant et en chantant, que y avait rien de plus beau.

À c't'heure, bondance ! y a pas de *fun* à voyager. On part, on arrive : on voyage pas. Parlez-moi d'il y a quarante ans ; c'était quèque chose dans ce temps-là que le méquier de voyageur !

Le Coq, qu'avait jamais, lui, travelé autrement qu'en berlot ou en petit cabarouette dans les chemins de campagne, avait pas tout à fait la twist dans le poignet pour l'aviron ; mais on voyait qu'il faisait de son mieux pour se dégourdir.

Avec ça qu'y devait avoir de quoi pour se dégourdir le canayen en effette, parce que de temps en temps je le voyais qui se passait la main dans sa bougrine et qui se baissait la tête, sus vot' respèque, comme pour sucer quèque chose.

J'creyais d'abord qu'y prenait une chique ; mais y a des imites pour chiquer. On a beau venir de la Beauce, un homme peut toujours pas virer trois ou quatre torquettes en sirop dans un après-midi.

Enfin je m'aperçus qu'au lieur de prendre une chique, c'était d'autre chose qu'y prenait.

— L'enfant de potence, que je dis en moi-même, y va être mort-ivre avant d'arriver à Batiscan !

Mais bougez pas ! C'est pas pour rien dire de trop, mais j'cré que si le vlimeux avait besoin de s'exercer le bras, c'était toujours pas pour apprendre à lever le coude !

Sous ce rapport-là, les camarades et pi moi, on fut pas longtemps à s'apercevoir que sa cléricature était faite : le flambeux gardit sa connaissance jusqu'à Trois-Rivières.

Là, par exemple, les enfants, ça fut une autre paire de manches. C'était pas un jeune homme, c'était une tempête. Où c'qu'il avait appris à sacrer comme ça ! je vous le demande. C'était toujours pas à Trois-Rivières, puisqu'il venait d'arriver. En tout cas, il avait pas besoin de faire de cléricature pour ça non plus ; c'est mon opinion.

Dans la soirée, on se rencontrit avec d'autres voyageurs qui partaient pour les chanquiers du Saint-Maurice, tandis que nous autres j'allions hiverner sus la Gatineau. Les voyageurs de Trois-Rivières, les enfants, c'est ça qu'est toffe. Je vous persuade qu'il faut avoir du poil aux pattes pour manœuvrer avec ces espèces-là.

Quoi qu'il en soit, comme dit monsieur le curé, à propos de queuque chose ou à propos de rien, v'là la chicane pris entre mon Coq Pomerleau et pi une grande gaffe de marabout de six pieds et demi, du nom de Thomas Brindamour, qu'avait un drôle de surbroquet.

Thomas Brindamour, vous comprenez, c'était ben trop long pour les camarades. Ils avaient commencé par l'appeler *Tom*; et puis, comme il était ben long, et surtout ben creux, on avait fini par le baptiser la *Grande Tonne*.

Ah! le Jupiter! c'est ça qu'avait du criminel dans le corps!

Je pensais ben qu'y ferait rien qu'une bouchée de mon petit apprenti de la Beauce; mais comme ils étaient ben saoûls tous les deux, y se firent pas grand mal.

Seurment, la Grand' Tonne avait c't'histoire-là sur le cœur; et, le lendemain matin, quand nos canots prirent le large du côté du lac Saint-Pierre, il était là sus le quai qui inventait la vitupération des sacrements contre le Coq Pomerleau.

On avait beau nager et filer dru, on entendait toujours sa voix de réprouvé qui hurlait à s'égosiller :

— Par le démon des Piles ! par le chat noir des Forges ! par le gueulard du Saint-Maurice ! et par tous les jacks mistigris du Mont-à-l'Oiseau ! j'te maudis, j't'emmorphose et j't'ensorcelle jusqu'à la troisième régénération ! Que le choléra morbus te revire à l'envers et que le Diable des Anglais te fasse sécher le dedans sus le bord du canot comme une peau de chat sauvage écorché. C'est le bonheur que j'te souhaite...

Exétéra ! Y en avait comme ça une ribandelle qui finissait pus ; que ça nous faisait redresser les cheveux sus la tête, raides comme des manches de pipe. Y nous semblait voir des trâlées de diablotins et de gripettes y sortir tout vivants du gosier. Ah ! le chrysostôme !

Le pauvre Coq Pomerleau en tremblait comme une feuille et baissait la tête pour laisser passer le squall en prenant son p'tit coup.

Enfin on finit toujours par arriver hors de vue, et chacun fit de son mieux pour continuer la route sus une autre chanson.

On réponnait faraud en accordant sus l'aviron et, malgré toutes les invictimes de la Grand' Tonne, on montait sus le lac comme une bénédiction.

Mais Coq Pomerleau, qu'on chantît ou qu'on se reposît, avait comme manière de diable bleu dans le pignon ; y restait toujours jongleur. L'aviron au bout du bras ou le sac de provisions sur le dos dans les portages, il avait toujours la mine de ruminer quèque rubrique d'enterrement.

— Mon oncle, qu'y me dit un soir...

L'insécrable m'appelait toujours son oncle, malgré que je fus pas plusse son oncle qu'il était mon neveu.

— Mon oncle, qu'y me dit un soir avant de s'endormir...

— Quoi c'qu'y a, le Coq?

— J'sut ensorcelé!

— Viens-tu fou?

— Quand je vous dis!

— Tais-toi donc!

— Je vous dis que j'sut ensorcelé, moi, vous voirez si y nous arrive pas queuque chose!

— Dors donc, dors donc!

Mais c'était toujours à recommencer; et ça durit comme ça jusqu'à Bytown. Pas moyen de y aveindre autre chose de dedans le baril! La Grand' Tonne à Brindamour l'avait ensorcelé: ça, il l'avait si ben vissé dans le coco que y avait pas de tire-bouchon capable d'en venir à bout ni par un bout ni par l'autre. Il en démordait pas.

— Vous voirez, mon oncle, qu'y me renotait du matin au soir, vous voirez que le maudit nous attirera quèque vilaine traverse!

Enfin, n'importe, comme dit monsieur le curé, nous v'lons rendus à Bytown, not' dernier poste avant de s'embarquer sus la Gatineau.

Comme de raison, pas besoin de vous dire que c'est pas dans le caractère du voyageur de passer tout dret quand on arrive à Bytown. Y faut au moins faire là une petite station, quand on y fait pas une neuvaine.

Pour tant qu'à mon Coq Pomerleau, ça fut une brosse dans les règles ; c'est tout ce que j'ai à vous dire. Le rhum y coulait dans le gosier qu'il avait tant seulement pas le temps d'envaler.

Une éponge, les enfants, une vraie éponge ! ou plutôt un dalot à patente !

Parole de Jos Violon, j'ai vu pintocher ben des fois dans ma profession de voyageur ; eh ben, je vous mens pas, ça me faisait chambranler rien qu'à le regarder faire !

Pour piquer au plus court, je pourrais pas dire si c't'inondation-là durit

ben longtemps, mais je sais ben qu'arrivé sus not' départ, mon Coq Pomerleau était si tellement saoûl que je fus
obligé de le porter dans le canot.

Et pis, en route sus la Gatineau en
chantant :

« C'est les avirons qui nous mènent
en haut !

C'est les avirons qui nous montent ! »

Faulait nous voir aller, les enfants !

On aurait dit, ma grand' conscience !
que les canots sortaient de l'eau à
chaque coup d'avirons. Pas de courant
pour la peine ; on filait comme le vent,
ni plus ni moins.

Coq Pomerleau, lui, ronflait dans le
fond du canot, que c'était un plaisir de
l'entendre.

Ça marchit comme ça jusqu'à tard
dans l'après-midi. Mais j'étions pas rendus au plus beau, comme vous allez voir.

Quand ça vint sus les quatre heures,
v'là-t-y pas mon paroissien qui se
réveille...

J'crus qu'il était enragé.

On savait ben ce qu'il avait bu, mais on savait pas ce qu'il avait mangé : il avait le Démon dans la corporation.

— J'sut ensorcelé ! qu'il criait comme un perdu ; j'sut ensorcelé !

J'essayis de le calmer, mais pas d'affaires ! Y sautait dans le canot comme un éturgeon au bout d'une ligne.

Ça pouvait nous faire chavirer, vous comprenez ben. V'là les camarades en fifre.

— Faites-lé tenir tranquille ! que me crie le boss, ou ben je le fais bougrer à l'eau !

C'était ben aisé de le faire tenir tranquille, le véreux connaissait pus personne. Y criait, y hurlait, y tempêtait, y se débattait comme un possédé. Y avait pas moyen d'en jouir.

Tout à coup, bang ! v'là une, deux, trois lames dans le canot. Le boss lâche une bordée de sacres.

— À terre! qu'il crie; à terre, bout de crime! Laissons-lé en chemin, et que le Diable le berce! On va-t'y se laisser nayer par ce torrieux-là?

Et v'là le canot dans les joncs.

— Débarque! débarque, pendard! On en a assez de toi!

— J'sut ensorcelé! criait Coq Pomerleau.

— Eh ben, va te faire désensorceler par ta grand-mère, ivrogne! que répondit le boss.

— Débarque! débarque! criaient les autres – excepté moi, comme de raison.

Y avait pas moyen de se rébicheter, faulait ben obéir.

Mais c'était mon clerc, c'pas; je pouvais pas l'ambâdonner.

— Je débarque avec! que je dis.

— Comme tu voudras, que fait le boss.

Et nous v'lons tous les deux dans la vase jusqu'aux genoux.

— Quins ! v'là des provisions, que me crie un des camarades en me jetant la moiquié d'un p'tit pain, et bonsoir !

Après ça, file !

Pas besoin de vous dire si j'avais le visage long, tout fin seul sus c'te grève, avec mon saoûlard sur les bras et la moiquié d'un p'tit pain pour toute consolation.

Chanceusement que Jos Violon est pas venu au monde dans les concessions, vous savez ça. J'avais remarqué, en montant, un vieux chanquier en démence où c'que j'avions campé une fois dans le temps et qui se trouvait pas ben loin d'où c'qu'on nous avait dit bonsoir.

J'traînis mon Coq Pomerleau jusque-là ; on cassit une croûte et, la nuit arrivée, nous v'là couchés sus un lit de branches de sapin, et dors, garçon !

Le lendemain, au petit jour, on était sus pieds.

Mais v'là-ty pas une autre affaire ! Embrouillés, les enfants, embrouillés ! que y avait pas moyen de reconnaître où c'que j'en étions.

Coq Pomerleau surtout se tâtait, se revirait sur tous les bords, reniflait, regardait en l'air, comme un homme qu'a perdu trente-six pains de sa fournée.

Il était ben dessaoûlé pourtant ; mais malgré ça, il avait l'air tout ébaroui.

— Mon oncle, qu'y me dit.

— De quoi ? que je réponds.

— De queu côté qu'on est débarqué hier au soir ?

— C'te demande ! De ce côté citte.

— C'est pas sûr, qu'y dit.

Je l'cré ben, que c'était pas sûr ; moi-même y avait un bout de temps que je me demandais si j'avais la berlue.

Mais puisque le Coq s'apercevait de la manigance comme moi, faulait ben qu'y eût du r'sort qeuque part.

Croyez-moi ou croyez-moi pas, les enfants, j'étions revirés bout pour bout, ou sens devant derrière, comme on voudra. Tandis qu'on dormait, le sorcier nous avait charriés, avec le chantier, de l'autre côté de la Gatineau.

Oui, parole de Jos Violon ! c'était pas croyable, mais ça y était tout de même.

— Je vous le disais ben que le maudit Brindamour m'avait ensorcelé ! que fit Coq Pomerleau.

— Si y t'avait ensorcelé tout seul au moins ! que j'y réponds ; mais d'après c'que j'peux voir, j'sommes ensorcelés tous les deux.

Coq Pomerleau, lui, qu'avait fêté, c'était pas surprenant qu'y fût un peu dans les pataques ; mais moi, Jos Violon, qu'est toujours sobre, vous me connaissez...

C'est vrai que je défouis pas devant une p'tite beluette de temps en temps pour m'éclaircir le verbe, surtout quand j'ai une histoire à conter, ou ben une chanson de cage à cramper sus l'aviron ; mais, parole de voyageur ! vous pouvez aller demander partout où c'que j'ai roulé, et je veux que ma première menterie m'étouffe si vous rencontrez tant seurment un siffleux pour vous dire qu'on a jamais vu Jos Violon autrement que rien que ben !

Mais c'était pas tout ci tout ça, ensorcelés ou pas ensorcelés, on pouvait toujours point rester à se faire craquer les joints et à se licher les babines dans c'te vieille cambuse qui timbait en bottes ; faulait rejoindre les camarades.

Quand même que le diable nous aurait charriés de l'autre côté de la rivière, que je dis, ça nous empêche pas de suivre le rivage, ça. On sait toujours ben de queu côté qu'y sont gagnés.

— En route donc ! que dit le Coq.

Et nous v'lons partis par derrière les autres.

Ça allait petit train, comme vous pensez ben. Mais, comme une permission du bon Dieu, devinez de quoi c'qu'on trouve dans le fond d'une petite crique. Un beau canot tout flambant neu, avec une paire d'avirons qu'avaient l'air de nous attendre.

Il était peut-être pas perdu, le canot, mais on le trouvit tout de même; et on fit pas la bêtise de le laisser perdre.

Ça fait que nous v'lons à nager du côté du chanquier. Y avait pas un brin de courant; et, bateau d'un nom! on filait que y avait des fois on aurait dit que le canot allait tout seul.

Y avait ben une grosse heure qu'on envoyait fort de c'te façon-là quand le Coq à Pomerleau s'arrête net de nager et me regarde avec des yeux ronds comme des montres.

— Mon oncle! qu'y dit.

— De quoi? que je réponds.

— Y a pas rien qu'nous autres qu'étions ensorcelés.

— Qui ? quoi c'que y a encore ?

— La rivière est ensorcelée, elle étout.

— Tu dis ?

— J'dis que la rivière étout est ensorcelée.

— Comment ça ?

— Eh ben, regardez voir ; la v'là qui coule en remontant.

— Hein ?

Aussi vrai comme vous êtes là, les enfants, j'crus qu'y venait fou ; mais à force de faire attention, en mettant la main dans le courant, en laissant dériver le canot, en fisquant le rivage, y avait pas moyen de se tromper, la vingueuse de rivière remontait !

Oui, sus mon âme et conscience, a remontait !

Où c'que ça pouvait nous mener c't'affaire-là ? on le savait point.

— C'est ben sûr qu'on s'en va dret dans le fond de l'Enfer, que dit Coq Pomerleau ; revirons !

—Oui, j'cré ben que c'est mieux de revirer en effet, que je dis, avant que le courant seye trop fort.

Et je nous mettons à nager sur l'aut' sens, tandis que le Coq marmottait dans ses ouïes :

—Le maudit Brindamour ! Si jamais je le rejoins, y me paiera ça au sanctus !

—Mais de quoi c'qu'on va faire ? que je dis, on est pas pour retourner crever de faim dans le vieux chanquier !

—Redescendons à Bytown ! que fait Coq Pomerleau. J'en ai déjà assez de la vie de voyageur, moi : j'aime mieux la charrue.

—Comme tu voudras, que je dis ; je commence à être joliment dégoûté moi étout.

—Revirons ?

—Revirons ! Et courageant un peu, j'attraperons Bytown en moins d'une journée, si le Diable s'en mêle pas.

Mais il s'en mêlait, le Diable! Y s'en mêlait sûr et certain, parce que le plusse qu'on descendait vers le bas de la rivière, le plusse que le courant remontait et repoussait dur. Je vous mens pas, faulait plier les avirons en deux pour avancer. J'en avais des crampes dans les épaules. Y avait-il une plus grande preuve qu'on nous avait jeté un r'sort?

Et dire que je devais ça à ce rôdeux de Coq Pomerleau.

Je me promettais ben de jamais prendre personne en apprentissage quand on aperçut un autre canot qui venait au-devant de nous autres. Y venait vite, comme de raison; il avait le courant de son bord, lui.

Comme on allait se rencontrer, j'entendis une voix qui criait:

— C'est-y toi, Jos Violon?

— Oui, que je dis tout surpris.

— Il est-y dessaoûlé?

Ma grand conscience, en entendant ça, je lâche mon aviron.

— Le Coq, que je dis, c'est nos gens.

— Comment, nos gens qui reviennent du côté de Bytown ? Par où c'qu'ils ont passé ? Vous voyez ben qu'y a pas de bon sens.

— Eh oui, mais pas un mot ! J'cré qu'y sont ensorcelés eux autres étout.

C'était ben le cas, allez ! On passit l'hiver ensorcelés, tout c'que j'en étions.

Le soleil lui-même était ensorcelé ; y savait jamais de queu côté se lever ni se coucher.

Tous les camarades prenaient ça en riant, eux autres, – je sais pas trop pourquoi ; mais Coq Pomerleau pi moi j'avions pas envie de rire une miette.

Aussi ça fut mon dernier hivernement dans les chanquiers. Pour tant qu'à Coq Pomerleau, il est allé une fois dans le Saint-Maurice pour rencontrer le grand Thomas Brindamour.

Il en est revenu, à ce qu'on dit, avec trois dents de cassées et un œil de moins.

Il est sevré des voyages lui étout.

Les Marionnettes

Nous étions encore réunis, ce soir-
là, chez le père Jean Bilodeau, et
c'était tout naturellement encore l'ami
Jos Violon, le conteur habituel, qui
avait la parole.

Après le préambule sacramentel
dont il avait pour ordinaire de faire
précéder ses histoires – «Cric, crac, les
enfants», etc. – à cette seule fin d'obtenir le silence et de provoquer l'attention de ses auditeurs, le vétéran des
«chantiers» entama son récit en ayant
pris soin, suivant son habitude, d'émail-
ler ses phrases des expressions les plus
pittoresques de son répertoire.

— D'après c'que j'peux voir, les enfants, dit-il, vous avez pas connu Fifi Labranche, le jouor de violon. Vous êtes ben trop jeunes pour ça, comme de raison, puisqu'il est mort à la Pointe-aux-Trembles, l'année des Troubles.

En v'là un rôdeux qu'avait de la twist dans le poignet pour faire sauter la jeunesse, dans son temps! M'a dire comme on dit, ça se battait pas! Quand il avait l'archet au bout du poignet, on pouvait courir toute la côte du Sud, depuis la baie du Febvre jusqu'au cap Saint-Ignace, sans rencontrer, parmi les vieux comme parmi les jeunes, un snorreau pour le matcher.

Y sont rares les ceusses qu'ont pas entendu parler de Fifi Labranche pi de son violon.

Eh ben, donc, c'était à seule fin de vous dire, les enfants, qu'un automne je m'étais associé justement avec lui. Pas associé pour jouer de la musique, vous entendez ben; parce que, malgré qu'on m'appelle Jos Violon – un nom de monsieur que j'ai toujours porté un peu correct, Dieu merci! – ç'a jamais pris moi pour jouer tant seurment un air de bombarde.

C'était pas dans mes éléments.

Non, Fifi Labranche et pi moi, on s'était associé tout bonnement pour faire du bois carré. C'était un bon piqueux que Fifi Labranche; et pour tant qu'à moi, on me connaît, pour jouer de la grand'hache dans le chêne, dans l'orme, dans le pin rouge ou l'épinette blanche, c'était comme lui pour jouer des reels pi des gigues; on aurait été virer loin avant de trouver un teigneux pour m'en remontrer! C'est moi qui vous le dis!

Ça fait que, c't'hiver-là, on fut camper tous les deux dans les environs de la Gatineau, sus la rivière à Baptiste, qu'on appelle, avec une gang de malvats qu'un des foremans du bonhomme Wright avait caracolés dans les Cèdres, une paroisse de par en-haut.

Les voyageurs des Cèdres, les enfants, ça sacre pas comme les ceusses de Sorel, non! Ça invictime pas le bon Dieu et tous les saints du calendrier comme les hurlots de Trois-Rivières non plus. Ça se chamaille pas à toutes les pagées de clôtures comme les batailleurs de Lanoraie. Mais pour parler au Diable, par exemple, y en a pas beaucoup pour les accoter.

Tous les soirs que le bon Dieu amène, sus les cages comme dans le bois, ces pendards-là ont toujours queuque sorcilège de paré.

Ah! les enfants de perdition!

J'en ai vu qui levaient des quarts de lard sus le bout de leux doigts, comme si ç'avait été des traversins, en baragouinant des prières à l'envers, où c'que y avait pas mèche pour un chréquin de comprendre motte.

J'ai vu un Barabbas qui rongeait des tisons, sus vot' respèque, comme sa chique.

Y en avait un – un nommé Pierre Cadoret, dit La Babiche – qu'avait emporté une poule noire avec lui. Quoi c'qu'y faisait de ça ? Le bon Dieu le sait ; ou plutôt le Diable, parce que, tous les matins, au petit jour, la vingueuse de poule noire chantait le coq comme si elle avait eu toute une communauté de basse-cour à desservir.

Oui, parole de Jos Violon ! les enfants, j'ai entendu ça de mes propres yeux plus de vingt fois !

Enfin, des vrais réprouvés, tous c'qu'ils en étaient.

Ça me peignait joliment le caractère à brousse poil, vous comprenez, d'être obligé de recommercer avec ces espèces-là. Je suis pas un rongeux de balustres, Dieu merci ! mais les poules noires et pi moi, ça fait deux, surtout quand c'est des poules qui chantent le coq.

Ce qui fait que je gobais pas fort c'te société-là. Mais j'étais matché avec Fifi Labranche, c'pas; je laissais le reste de la gang fricoter leux sacrilèges entre eux autres; et, après les repas, on jouait une partie de dames à nous deux en fumant not' pipe, histoire de tuer le temps sans mettre not' pauvre âme entre les griffes de Charlot.

Mais ça fut comme rien, allez : la mauvaise compagnée, c'est toujours la mauvaise compagnée. Comme dit monsieur le curé, dis-moi c'que tu brocantes et j'te dirai c'qui t'tuait.

La veille de Noël au soir, le boss vint nous trouver :

—Coutez donc, vous deux, qu'y nous dit. C'est-y parce que vous êtes des dos blancs de la Pointe-Lévis que vous voulez pas vous amuser avec les autres? Me semblait que t'avais apporté ton violon, Fifi; comment ça se fait qu'on l'entend jamais? Ho! tire-moi l'virebroquin du coffre et joue-nous un reel à quatre, une gigue simple, une voleuse, tout c'que tu voudras, pourvu que ça gigote. Écoutez, vous autres, là-bas ; j'allons avoir de la musique. Les ceusses qu'ont des démangeaisons dans les orteils ont la permission de se les faire passer.

Fifi Labranche était pas ostineux :

— Je défouis pas, qu'y dit.

Et le v'là qu'aveint son violon, passe l'arcanson sus son archette, s'assit sus le coin de la table, casse une torquette, se crache dans les mains ; et pi crin ! crin ! crin ! en avant, les boys !

Le poêle était rouge dans le milieu de la place ; au bout d'une demi-heure, on pouvait, je vous mens pas, tordre les chemises comme des lavettes.

— C'est ça qui s'appelle jouer du violon ! que dit le boss en rallumant sa pipe ; Fifi, t'es pas raisonnable de pas jouer pus souvent que ça.

— Corrèque ! que dirent tous les autres, faut qu'y joue pus souvent que ça !

— Jouer du violon quand personne danse, c'est pas une grosse job, que dit Fifi.

— Mais de quoi c'qu'on fait donc là ? que demande un de nos coupeux de chemin, justement l'homme à la poule noire, un grand maigrechine qui se baissait pour passer dans les portes – La Babiche, comme on le nommait, –, ça s'appelle pas danser, ça ? On est pas après écosser des fèves, à c'qui m'semble.

— Oui, vous dansez à soir parce que c'est demain fête. Si vous étiez obligés d'aller bûcher demain matin avant le jour, vous seriez pas aussi souples du jarret. Qu'en dis-tu, Jos Violon ?

— Potence ! que je dis, pour tant qu'à moi, je ménagerais mes quilles pour aller me coucher.

— Quiens, c't'affaire ! que dit La Babiche, quand les hommes dansent pas, on fait danser d'autre chose.

— Qui ça ? Les chaudrons, manquable ? les tables, les bancs ?

— Non, mais les marionnettes.

— Les marionnettes ?

— Oui, les marionnettes...

Vous savez p't'être pas c'que c'est
que les marionnettes, les enfants ; eh
ben, c'est des espèces de lumières mal-
faisantes qui se montrent dans le Nord,
quand on est pour avoir du frette. Ça
pétille, sus vot' respèque, comme
quand on passe la main, le soir, sus le
dos d'un chat. Ça s'élonge, ça se raco-
tille, ça s'étire et ça se beurraille dans
le ciel, sans comparaison comme si le
Diable brassait les étoiles en guise
d'œufs pour se faire une omelette.

C'est ça, les marionnettes !

Monsieur le curé, lui, appelle ça
des *horreurs de Montréal*, pi y dit que
ça danse pas.

Eh ben, je sais pas si c'est des horreurs de Montréal ou ben de Trois-
Rivières, mais j'en ai ben vu à Québec

étout; et je vous dis que ça danse, moi, Jos Violon!

C'est ben le Diable qui s'en mêle, je le cré ben, mais ça danse! Je les ai vues danser, et pi j'avais pas la berlue.

Fifi Labranche étout les a vues, puisque c'est lui qui les faisait danser, à preuve que son violon en est resté ensorcelé pour plus de trois mois.

Parce qu'y faut vous dire qu'en attendant parler de faire danser les marionnettes, le pauvre Fifi, qu'était un bon craignant Dieu comme moi, s'était un peu rebicheté.

— Mais quand y en a pas, qu'y dit, de marionnettes...

— Quand y en a pas, on les fait venir, que dit La Babiche, c'est ben simple.

— Comment, on les fait venir?

— Dame oui, quand on sait les paroles.

— Queux paroles?

— Les paroles pour faire venir les marionnettes.

— Tu sais des paroles pour faire venir les marionnettes, toi ?

— Oui, pi pour les faire danser. J'ai appris ça tout petit, de mon grand-père qu'était un fâmeux jouor de violon, lui étout, dans son temps.

— Tu pourrais faire venir les marionnettes à soir ?

— Ben sûr ! le temps est clair. Si tu veux jouer du violon, je dirai les paroles et vous allez les voir arriver.

— Je serais curieux de voir ça, que dit Fifi Labranche.

— Fifi, que j'y dis, méfie-toi, c'est pas des jeux de chréquins, ça !

— Ouacht ! qu'y répond, pour une fois on en mourra pas.

— C'est correct, Fifi ! que dirent tous les autres. Laisse Jos Violon faire la poule mouillée, si ça y fait plaisir, et pi toi roule ta bosse avec les bons vivants.

—Fifi, que j'y répète, prends garde! Tu devrais pas te mêler de ces paraboles-là. C'est des manigances du Malin qu'y veulent te faire faire. Tu connais La Babiche... Et pi le jour de Noël encore!

Mais j'avais pas fini de parler qu'ils étaient déjà tous rendus sus le banc de neige, la tête en l'air, et reluquant du côté du Nord, pendant que Fifi Labranche accordait son violon.

Ma foi, tant pire, je fis comme les autres en me disant en moi-même:

—Tant que je ferai rien que regarder, y peut toujours pas m'arriver grand mal.

Y faisait un beau temps sec; pas une graine de vent, la boucane de not' cheminée montait dret comme un cierge pascal et les étoiles clignaient des yeux comme une créature qu'enfile son aiguille. On entendait les branches qui craquaient dans le bois, je vous mens pas, pires que des coups de fouette de charrequier.

— Es-tu prêt, Fifi ? que dit La Babiche.

— Oui, que répond mon associé ; quoi c'que vous voulez que je joue ?

— Joue c'que tu voudras, pourvu que ça saute.

— Le *Money Musk* ?

— Va pour le *Money Musk* !

Ça fut comme un cilement de toupie, les enfants ; l'archette fortillait dans les mains de Fifi, sans comparaison comme une anguille au bout d'une gaffe.

Et zing ! zing ! zing ! Et zing ! zang ! zong ! Les talons nous en pirouettaient dans le banc de neige malgré nous autres. Je cré que le vlimeux avait jamais joué comme ça de sa vie.

La Babiche, lui, marmottait on sait pas quelle espèce de zitanie de sorcier, les yeux virés à l'envers, en même temps qu'y faisait toutes sortes de sima-grées avec son pouce, par devant, par derrière, à gauche, à drette – comme on dit, aux quat' vents.

Et le *Money Musk* allait toujours.
Fifi zigonnait comme un enragé.

Tout d'un coup, je sens comme un
frisson de glace qui me griffait entre
les deux épaules : je venais d'entendre
quatre ou cinq de ces petites pétarades
de peau de chat que je vous ai parlé
tout à l'heure.

— Les v'lont ! que se mettent à
crier les camarades ; les v'lont. Hourra
pour La Babiche ! Envoie fort, Fifi !

En même temps on apercevait
comme une manière de petites lueurs
grisâtres qui se répandaient dans le
Nord, comme si on avait barbouillé le
firmament avec des allumettes soufrées.

— Envoie fort, Fifi, les v'lont ! que
répétait la gang de possédés.

Comme de faite, les damnées
lueurs arrivaient par-ci par-là tout dou-
cement, se faufilaient, se glissaient,
s'éparpillaient, se tordaient comme des
pincées de boucane blanche entor-
tillées après des éclairs de chaleur.

—Envoie fort, Fifi! que criaient la bande d'insécrables.

La Babiche étout envoyait fort, parce que v'là des flammèches, pi des étincelles, pi des braises qui se mettent à monter, à descendre, à s'entrecroiser, à se courir après, comme une sarabande de fi-follets qu'auraient joué à la cachette en se galvaudant avec des rondins de bois pourri. Des fois, ça s'amortissait, on voyait presque pus rien; et pi crac! ça se mettait à flamber rouge comme du sang.

Je vous mens pas, je cré que le Diable s'amusait à fermer, pi à rouvrir queuques soupiraux de l'enfer, ni plus ni moins.

—Envoie fort, Fifi! envoie fort!

Fifi pouvait pas faire mieux, je vous le garantis; le bras y allait comme une manivelle, et je m'aperçus qu'y commençait à blêmir. Moi, les cheveux me regrichaient sous mon casque comme la queue d'un matou qui se damne.

— Viens-t'en, que j'y dis ; viens-
t'en ! Le Diable va en emporter queuqu'un, c'est sûr !

Mais le malheureux m'entendait
plus. Y paraissait aussi possédé que les
autres, et le *Money Musk* retontissait
sour son archette qu'on aurait dit des
cris de chats sauvages écorchés par une
bande de loups-cerviers. Vous avez jamais rien entendu de pareil, les enfants !

Mais c'était pas le plus beau, pourtant, vous allez voir.

Pendant que tous mes garnements
criaient à s'égosiller, v'là-t-y pas les
marionnettes maudites qui se mettent à
danser.

Parole la plus sacrée, les enfants ! Jos
Violon est pas un menteur, vous savez
ça – v'là l'engeance infernale qui se met
à danser, ma grand' conscience du bon
Dieu, comme des grand' personnes. Y
perdaient pas un step, si vous plaît !

Et pi ça se tassait, ça se poussait, ça
se croisait, ça baraudait, ça sautait les

uns par-dessus les autres; des fois on les voyait raculer, et pi tout d'un coup y s'avançaient.

Oui, je vous conte pas d'histoires, les enfants. Les noms de gueuses d'horreurs de Morréal, comme dit monsieur le curé, s'avançaient si tellement en accordant sur le *Money Musk* de Fifi que les v'lont presque sus nous autres!

Je vous ai déjà dit, à c'qui me semble, que j'étais pas un peureux, et pi je peux vous en donner des preuves; eh ben, en voyant ça, je vous le cache point, je fais ni une ni deux, je lâche la boutique, je prends mes jambes à mon cou et, les cheveux drettes sus la tête, je cours me cacher dans la cabane.

Cinq minutes après, quatre hommes rapportaient le pauvre Fifi sans connaissance.

Y fut une journée sans parler, pi trois jours sans pouvoir lever sa hache pour piquer. Il avait, à ce que disait le foreman, une détorse dans la langue, pi un torticolis dans le bras. C'est ce que le foreman disait, mais moi je savais mieux que ça, allez !

Toute la semaine y fut jongleur : pas moyen même de y faire faire sa partie de dames. Y bougonnait tout seul dans son coin, comme un homme qu'aurait, sus vot' respèque, le sac aux sentiments reviré à l'envers.

Ça fait que, la veille du jour de l'an, v'là les camarades qu'avaient encore envie de danser.

— Hourra, Fifi ! aveins tes tripes de chat, pi brasse-nous un petit virvâle, c'est le temps ! que dit le boss. Faut pas se laisser figer comme du lait caillé, hein ! Êtes-vous prêts, là, vous autres ?

— Oui, oui, ça y est ! que dit toute la gang en se déchaussant et en se crachant dans les mains ; ho ! Fifi, dégourdis-nous les erminettes !

Je pensais que le pauvre esclopé se ferait prier ; mais non. Il aveint son violon, graisse son archette, se crache dans les mains à son tour et commence à jouer le *Money Musk*.

— Ah ! ben, que dirent les danseux, y a un bout pour le *Money Musk* ! On est pas des marionnettes.

— C'est drôle, que dit Fifi en se grattant le front, c'est pourtant pas ça que j'avais l'intention de jouer. Allons, de quoi t'est-ce que vous voulez avoir ? Une gigue simple ? un harlapatte ?

— Un cotillon, bondance ! Faut se faire aller le canayen à soir.

— C'est correct ! que dit Fifi.

Pi y recommence à jouer... le *Money Musk*...

— Coute donc, Fifi, viens-tu fou, ou ben si tu veux rire de nous autres avec ton *Money Musk* ? On te dit qu'on en a assez du *Money Musk*.

— Ma foi de gueux, je sais pas ce que j'ai dans les doigts, que dit Fifi ; je veux jouer un cotillon, et pi ça tourne en *Money Musk* malgré moi.

— Est-ce que t'as envie de nous blaguer ?

— Je veux être pendu si je blague !

— Eh ben, recommence, torrieux ! et pi fais attention !

Allons, v'là Fifi qui se piète ; et pi l'archette d'une main, le violon de l'autre, le menton arbouté sus le tirant et les deux yeux fisqués sus la chanterelle, y recommence.

Ça fut rien qu'un cri, les enfants :

— Ouah !

Avec une bordée de sacres.

Y avait de quoi : le véreux de Fifi jouait encore le *Money Musk*.

— Batêche ! qu'y dit, y a du criminel là-dedans ; je vous jure que je fais tout mon possible pour jouer un cotillon, moi, et pi le vingueux de violon veut pas jouer autre chose que le *Money Musk*. Il est ensorcelé, le bout de crime ! Un violon que v'là quinze ans que je joue avec ! V'là c'que c'est que de faire danser le Diable avec ses petits. Quins! tu me feras pus d'affront, toi! Va retrouver les gueuses de marionnettes!

Et en disant ça, y prend le désobéissant par le manche et le lance à tour de bras dans le fond de la cheminée, où c'qu'y se serait débriscaillé en mille morceaux, ben sûr, si j'avions pas été là pour l'attraper, m'a dire comme on dit, au vol.

Deux autres fois, dans le courant de l'hiver, le pauvre Fifi Labranche prit son archette pour essayer de jouer queuque danse : pas moyen de gratter autre chose que le *Money Musk*!

On peut pas être plus ensorcelé que ça, c'pas?

Enfin ça durit comme ça jusqu'au printemps, jusqu'à ce qu'en descendant l'Ottawa avec not' cage, Fifi Labranche eut la chance de faire bénir son violon par le curé de l'île Perrot, à la condition qu'y ferait pus jamais danser les marionnettes de sa vie.

Y avait pas besoin de y faire promettre ça, je vous le persuade !

Toujours qu'après ça, ça marchait comme auparavant. Fifi Labranche put jouer n'importe queu rigodon à la mode ou à l'ancienne façon.

V'là c'que Jos Violon a vu, les enfants ! vu de ses propres oreilles !

Eh ben, vous me crairez si vous voulez, mais le tordvice de Fifi – pour me faire passer pour menteur manquablement – a jamais voulu avouer, jusqu'à sa mort, que son violon avait été ensorcelé.

Y disait que c'était un tour qu'il avait inventé pour se débarrasser des ceusses qui voulaient le faire jouer à tout bout de champ, tandis qu'il aimait mieux faire sa partie de dames. Je vous demande un peu si c'était croyable !

C'est toujours pas à moi qu'on fait accraire des choses pareilles, parce que j'y étais ! j'ai tout vu ! et, c'est pas à cause que c'est moi, mais tout le monde vous dira que Jos Violon sait c'qu'y dit.

Avec ça que l'autre violon – celui de Fifi Labranche – est encore plein de vie comme moi ; c'est le garçon de Georges Boutin qu'en a hérité.

Y peut vous le montrer, si vous me croyez pas.

Et cric, crac, cra ! Sacatabi, sac-à-tabac ! mon histoire finit d'en par là !

Le Diable des Forges

C'était la veille de Noël 1849. Ce soir-là, la « veillée de contes » avait lieu chez le père Jacques Jobin, un bon vieux qui aimait la jeunesse, et qui avait voulu faire plaisir aux jeunes gens de son canton et aux moutards du voisinage – dont je faisais partie –, en nous invitant à venir écouter le conteur à la mode, c'est-à-dire Jos Violon.

Celui-ci, qui ne se faisait jamais prier, prit la parole de suite et avec son assurance ordinaire lança, pour obtenir le silence, la formule sacramentelle :

—Cric, crac, les enfants ! Parli, parlo, parlons ! Pour en savoir le court et le long, passez le crachoir à Jos Violon ! Sacatabi, sac-à-tabac, à la porte les ceusses qu'écouteront pas !

Et, le silence obtenu, le conteur entra en matière :

—C'était donc pour vous dire, les enfants, que si Jos Violon avait un conseil à vous donner, ça serait de vous faire aller les argots tant que vous voudrez dans le cours de la semaine, mais de jamais danser sus le dimanche ni pour or ni pour argent. Si vous voulez savoir pourquoi, écoutez c'que je m'en vas vous raconter.

C'te année-là, parlant par respect, je m'étions engagé avec Fifi Labranche, le jouor de violon, pour aller faire du bois carré sus le Saint-Maurice, avec une gang de par en-haut ramassée par un foreman des Praîce nommé Bob Nesbitt ; un Irlandais qu'était point du bois de calvaire plusse qu'un autre, j'cré ben, mais qui pouvait pas, à ce qu'y disait du moins, sentir un menteur en dedans de quarante arpents. La moindre petite menterie, quand c'était pas lui qui la faisait, y mettait le feu sus le corps. Et vous allez voir que c'était pas pour rire : Jos Violon en sait queuque chose pour en avoir perdu sa fortune faite.

À part moi pi Fifi Labranche qu'étions de la Pointe-Lévis, les autres étaient de Saint-Pierre les Baquets, de Sainte-Anne la Parade, du Cap-la-Madeleine, de la Pointe du Lac, du diable au Vert. C'était Tigusse Beaudoin, Bram Couture, Pit Jalbert, Ustache Barjeon, le grand Zèbc Roberge, Toine Gervais, Lésime Potvin, exétéra.

Tous des gens comme y faut, assez tranquilles, quoique y en eût pas un seul d'eux autres qu'avait les ouvertures condamnées quand y s'agissait de s'emplir. Mais un petit arrosage d'estomac, c'pas, avant de partir pour aller passer six mois de lard salé pi de soupe aux pois, c'est ben pardonnable.

On devait tous se rejoindre aux Trois-Rivières. Comme de raison, ceux qui furent les premiers rendus trouvirent que c'était pas la peine de perdre leux temps à se faire tourner les pouces, et ça leur prit pas quinze jours pour appareiller une petite partie de gigoteuse.

Quand ils eurent siroté chacun une couple de cerises, Fifi tirit son archet, et v'là le *fun* commencé, surtout pour les aubergistes, qui se lichaient les badigoinces en voyant sauter les verres sus les comptoirs et les chemises rouges dans le milieu de la place. Ça dansait, les enfants, jusque sus les parapelles !

Moi, je vous dirai ben, je regârdais faire. La boisson, vous savez, Jos Violon est pas un homme pour cracher dedans, non : mais c'est pas à cause que c'est moi : sus le voyage comme sus le chanquier, dans le chanquier comme à la maison, on m'en voit jamais prendre plus souvent qu'à mon tour. Et pi, comme j'sus pas fort non plus sus la danse quand y a pas de créatures, je rôdais ; et en rôdant, je watchais.

Je watchais surtout deux véreux de sauvages qu'avaient l'air de manigancer queuque frime avec not' foreman. Je les avais vus qui y montraient comme manière de petits cailloux jaunes gros comme rien, mais que Bob Nesbitt regârdait, lui, avec des yeux grands comme des montres.

— Cachez ça ! qu'y leux disait ; et parlez-en pas à personne. Y vous mettraient en prison. C'est des choses défendues par le gouvernement.

Ç'avait l'air drôle, c'pas ; mais c'était pas de mes affaires ; je les laissis débrouiller leux micmac ensemble ; et je m'en allais rejoindre les danseux, quand je vis ressoude le foreman par derrière moi.

—Jos Violon, qu'y me dit en cachette, c'est demain samedi; tout not' monde sont arrivés; occupez-vous pas de moi. Je prends les devants pour aller à la chasse avec des sauvages. Comme t'es ben correct, toi, j'te laisse le commandement de la gang. Vous partirez dimanche au matin et vous me rejoindrez à la tête du portage de la Cuisse. Tu sais où c'est que c'est?

—Le portage de la Cuisse? je connais ça comme ma blague.

—Bon! mais attention! Les gaillards sont un petit brin mèchés; faudrait point que personne d'eux autres se laissît dégrader. Si y en a un qui manque, je m'en prendrai à toi, entends-tu! Vous serez dix-huit, juste. Pour pas en laisser en chemin, à chaque embarquement et chaque débarquement, compte-les. Ça y est-y?

—Ça y est! que je dis.

— Je peux me fier à toi ?

— Comme à Monseigneur.

— Eh ben, c'est correct. À lundi au soir, comme ça ; au portage de la Cuisse !

— À lundi au soir, et bonne chasse !

Je disais bonne chasse, comme de raison, mais je gobais pas c'te rubrique-là, vous comprenez. Comme il se parlait gros de mines d'or, depuis un bout de temps dans les environs du Saint-Maurice, je me doutais ben de quelle espèce de gibier les trois sournois partaient pour aller chasser.

Mais n'importe ! comme je viens de vous le dire, c'était pas de mes affaires, c'pas. Le matin arrivé, je les laissis partir et je m'occupis de mes hommes, qu'étaient pas encore trop saoûls, malgré la nuite qu'ils venaient de passer.

Quand je leur-z-eu appris le départ du boss, ça fut un cri de joie à la lime.

— Batêche ! qu'ils dirent, ça c'est coq ! Y en a encore deux à venir : sitôt qu'y seront arrivés, on partira : faut aller danser aux Forges à soir !

— C'est faite ! que dit Fifi Labranche ; je connais ça les Forges ; c'est là qu'y en a de la créature qui se métine !

— Je vous en parle ! que dit Tigusse Beaudoin ; des moules à jupes qui sont pas piquées des vers, c'est moi qui vous le dis.

— Eh ben, allons-y ! que dirent les autres.

Ça fut rien qu'un cri :

— Hourra, les boys ! Allons danser aux Forges !

Les Forges du Saint-Maurice, les enfants, c'est pas le perron de l'église. C'est plutôt la nique du Diable avec tous ses petits : mais comme j'étions pas partis pour faire une retraite, je leur dis :

— C'est ben correct, d'abord que tout le monde y seront.

Comme de faite, aussitôt que les deux derniers de la gang furent arrivés, on perdit pas de temps, et v'là tout not' monde dans les canots, l'aviron au bout du bras.

— Attendez, attendez, que je dis ; on y est-y toutes, d'abord ? Je veux pas laisser personne par derrière moi ; faut se compter.

— C'est pas malaisé, que dit Fifi Labranche, de se compter. C'est dix-huit qu'on est, c'pas ? Et ben, j'avons trois canots ; on est six par canot ; trois fois six font dix-huit, manquable !

Je regardis voir : c'était ben correct.

— Pour le lorse, filons ! que je dis.

Et nous v'lons à nager en chantant comme des rossignols :

« La zigonnette, ma dondaine !
La zigonnette, ma dondé ! »

Comme de raison, faulait ben s'arrêter de temps en temps pour se cracher dans les mains, c'pas ; et pi comme j'avions toute la gorge ben trop chesse pour ça, on se passait le gouleron à tour de rôle. Chaque canot avait sa cruche, et je vous persuade, les enfants, que la demoiselle se faisait prendre la taille plus souvent qu'une religieuse ! c'est tout ce que j'ai à vous dire.

Ça les empêchait pas non plus, tout en marchant m'a dire comme on dit, à pas carrés, ça les empêchait pas d'être joliment ronds, tout ce qu'ils en étaient.

Ça les empêchait pas non plus, tout en marchant croche, de se rendre ben dret chux le père Carillon, un vieux qui tenait auberge presque en face de la grand'-Forge.

Faulait ben commencer par se rafraîchir un petit brin, en se rinçant le dalot, c'pas.

Justement, y avait là un set de jeunesses à qui c'qu'y manquait rien qu'un jouor de violon pour se dégourdir les orteils. Et, comme Fifi Labranche avait pas oublié son ustensile, je vous garantis qu'on fut reçus comme la m'lasse en carême.

Y avait pas cinq minutes qu'on était arrivés, que tout le monde était déjà parti sur les gigues simples, les reels à quatre, les cotillons, les voleuses, pi les harlapattes. Ça frottait, les enfants, que les semelles en faisaient du feu et que les jupes de droguet pi les câlines en frisaient, je vous mens pas, comme des flammèches.

Faut pas demander si le temps passait vite.

Enfin, v'là que les mênuit arrivent, et le dimanche avec, comme de raison : c'est la mode partout, le samedi au soir.

— Voyons voir, les jeunesses, que dit la mère Carillon, c'est assez ! On est tous des chréquins, pas de virvâle le dimanche ! Quand on danse le dimanche d'enne maison, le méchant esprit est sus la couverture.

— Tais-toi la vieille ! que fit le père Carillon, ton vieux Charlot a ben trop d'autre chose à faire que de s'occuper de ça. Laisse porter, va! Souviens-toi de ton jeune temps. C'est pas toi qui relevais le nez devant un petit rigodon le dimanche. Écoutez-la pas, vous autres; sautez, allez!

— Eh ben, tant pire; puisque c'est comme ça, que le bon Dieu soit béni! Arrive qui plante, je m'en mêle pus! que fit la vieille en s'en allant.

— C'est ça, va te coucher, que dit le père Carillon.

Jos Violon est pas un cheniqueux, ni un bigot, vous me connaissez; eh ben, sans mentir, j'avais quasiment envie d'en faire autant, parce que j'ai jamais aimé à interboliser la religion, moi. Mais j'avais à watcher ma gang, c'pas: je m'en fus m'assire sus un banc, d'un coin, et j'me mis à fumer ma pipe tout seul, en jonglant, sans m'apercevoir que je cognais des clous en accordant sus le violon de Fifi Labranche.

Je me disais en moi-même:

—Y vont se fatiguer à la fin, et je ferons un somme.

Mais bougez pas : le plusse qu'on avançait sus le dimanche, et le plusse que les danseux pi les danseuses se trémoussaient la corporation dans le milieu de la place.

—Vous dansez donc pas, vous ? que dit en s'approchant de moi une petite créature qui m'avait déjà pas mal reluqué depuis le commencement de la veillée.

—J'aime pas à danser sus le dimanche, mamzelle, que je répondis.

—Quins ! en v'là des escrupules, par exemple ! Jamais je crairai ça... Un homme comme vous !

En disant « un homme comme vous », les enfants, c'est pas à cause que c'est moi, mais la chatte me lance une paire de z'yeux... tenez... Mais j'en dis pas plus long. La boufresse s'appelait Célanire Sarrazin : une bouche ! une taille ! des joues comme des pommes fameuses, et pi avec ça croustillante, un vrai frisson... Mais, encore une fois, j'en dis pas plusse.

J'aurais ben voulu résister; mais le petit serpent me prend par le bras en disant :

— Voyons, faites pas l'habitant, monsieur Jos; venez danser ce cotillon-là avec moi !

Faulait ben céder, c'pas; et nous v'là partis.

J'ai jamais tricoté comme ça de ma vie, les enfants.

La petite Célanire, je vous mens pas, sprignait au plancher de haut comme une sauterelle; pour tant qu'à moi, je voyais pus clair.

Ça fut comme si j'avais perdu connaissance; parce que, pour la mort ou pour la vie, les enfants, encore au jour d'aujourd'hui je pourrais pas vous dire comment est-ce que je regagnis mon banc et que je m'endormis en fumant mon bougon.

Ça durit pas longtemps, par exemple, à ce que je pus voir. Tout d'un coup, ma nom de gueuse de pipe m'échappe des dents et je me réveille...

Bon sang de mon âme! je me crus ensorcelé!

Pus de violon, pus de danse, pus d'éclats de rire, pas un chat dans l'appartement!

— V'là une torrieuse d'histoire! que je dis; où c'qui sont gagnés?

J'étais à me demander queu bord prendre, lorsque je vis ressoudre la mère Carillon, le visage tout égarouillé et la tête comme une botte de pesat au bout d'une fourche.

— Père Jos, qu'a dit, y a rien que vous de sage dans toute c'te boutique icitte. Pour l'amour de saints, venez à not' secours, ou ben je sommes tous perdus!

— De quoi t'est-ce que y a donc, la petite mère? que je dis.

— Le méchant esprit est dans les Forges, père Jos !

— Le méchant esprit est dans les Forges ?

— Oui, la Louise à Quiennon Michel l'a vu tout à clair comme je vous vois là. V'là ce que c'est que de danser sus le dimanche !

— De quoi t'est-ce qu'elle a vu, la Louise à Quiennon Michel ?

— Le démon des Forges, ni plus ni moins ; vous savez ce que c'est. Elle était sortie, c'pas, pour rentrer sa capine qu'elle avait oubliée sur la clôture, quand elle entend brimbaler le gros marteau de la Forge qui cognait, qui cognait comme en plein cœur de semaine. A regarde : la grand' cheminée flambait tout rouge en lançant des paquets d'étincelles. A s'approche : la porte était toute grande ouverte, éclairée comme en plein jour, tandis que la Forge menait un saccage d'enfer que tout en tremblait. On n'entendait pas

tout ça, nous autres, comme de raison :
les danseux faisaient ben trop de train.
Mais la danse s'est arrêtée vite, je vous
le garantis, quand la Louise est entrée
presque sans connaissance, en disant :
«Chut, chut! pour l'amour du ciel; le
Diable est dans les Forges, sauvons-
nous!» Comme de raison, v'là tout le
monde dehors. Mais, ouicht! pus rien
de rien! La porte de la Forge était
fermée; pus une graine de flambe dans
la cheminée. Tout était tranquille
comme les autres samedis au soir.
C'est ben la preuve, c'pas, que ce que
la Louise a vu, c'est ben le Méchant
qu'était après forger queuque maréfice
d'enfer contre nos danseux...

C'était ben ce que je me disais, en
sacrant en moi-même contre c'te
vingueuse de Célanire. Mais, Jos
Violon a pas l'habitude – vous me connaissez – de canner devant la bouillie
qui renverse. Je me frottis les yeux, je
me fis servir un petit coup, je cassis

une torquette en deux et je sortis de
l'auberge en disant :

— J'allons aller voir ça !

Je fus pas loin : mes hommes s'en
revenaient. Et vous me crairez si vous
voulez, les enfants, le plus extrédinaire
de toute l'affaire, c'est qu'y avait pas
gros comme ça de la lumière neune part.
Tout était noir comme dans le fond d'un
four, noir comme chuz le loup !

Oui, les enfants, Jos Violon est
encore plein de vie ; eh ben, je vous le
persuade, j'ai vu ça, moi ; j'ai vu ça de
mes yeux ! C'est-à-dire que j'ai rien vu
en toute, vu qui faisait trop noir.

On l'avait paru belle, allez ! À
preuve que, quand on fut rentrés dans
la maison, on commencit toutes à se
regarder avec des visages de trente-six
pieds de long ; et que Fifi Labranche
mit son violon dans sa boîte en disant :

— Couchons-nous !

Vous savez comment c'qu'on se
couche dans le voyage, c'pas ? Fau-

drait pas vous imaginer qu'on se perlasse le canayen sus des lits de pleume, non ! On met son gilet de corps plié en quatre sur un quarquier de bois ; ça fait pour le traversin. Pour la paillasse, on choisit un madrier du plancher où c'que y a pas trop de nœuds, et pi on s'élonge le gabareau dessus. Pas pus de cérémonie que ça !

— T'as raison, Fifi, couchons-nous ! que dirent les autres.

— Attendez voir, que je dis à mon tour ; c'est ben correct, mais vous vous coucherez toujours point avant que je vous aie comptés.

Je me souvenais de ce que le fore-man m'avait recommandé, c'pas. Pour lorse que je les fais mettre en rang d'oignons, et pi je compte :

— Un, deux, trois, quatre... dix-sept ! Rien que dix-sept !

— Je me suis trompé, que je dis.

Et je recommence :

— Un, deux, trois, quatre... dix-sept ! Toujours dix-sept ! Batêche, y a du crime là-dedans ! que je dis. Y m'en manque un ! En faut dix-huit ; où c'qu'est l'autre ?

Motte !

Qui c'qui manque, là, parmi vous autres ?

Pas un mot !

— C'est toujours pas toi, Fifi ?

— Ben sûr que non !

— C'est pas toi, Bram ?

— Non.

— Pit' Jalbert ?

— Me v'là !

— Ustache Barjeon ?

— Ça y est.

— Toine Gervais ?

— Icitte.

— Zèbe étout ?

— Oui.

Y étaient toutes.

Je recommence à compter.

Dix-sept ! comme la première fois.

— Y a du r'sort ! que je dis. Mais il en manque toujours un, sûr. On peut pas se coucher comme ça, faut le sarcher. Y a pas à dire « Catherine », le boss badine pas avec ces affaires-là : me faut mes dix-huit !

— Sarchons ! que dit Fifi Labranche ; si le Diable des Forges l'a pas emporté, on le trouvera, ou ben y aura des confitures dans la soupe !

— Si on savait qui c'est que c'est au moins ! que dit Bram Couture, on pourrait l'appeler.

— C'est pourtant vrai, que dit Toine Gervais, qu'il en manque un et pi qu'on sait pas qui c'est que c'est.

C'était ben ce qui me chicotait le plusse, vous comprenez ; on pouvait pas avoir de meilleure preuve que le Diable s'en mêlait.

N'importe ! on sarchit, mes amis ; on sarchit sour les bancs, sour les tables, sour les lits, dans le grenier, dans la cave, sur les ravalements, derrière les cordes de bois, dans les bâtiments, jusque dans le puits...

Personne !

On sarchit comme ça, jusqu'au petit jour. À la fin, v'là les camarades tannés.

— Il est temps d'embarquer, qu'y disent. Laissons-lé ! Si le flandrin est dégradé, ce sera tant pire pour lui. Il avait tout embelle de rester avec les autres... Aux canots !

— Aux canots, aux canots !

Et les v'lont qui dégringolent du côté de la rivière.

Je les suivais, bien piteux, comme de raison. De quoi c'que j'allais pouvoir dire au boss ? N'importe, je fais comme les autres, je prends mon aviron, et, à la grâce du bon Dieu, j'embarque.

— Tout le monde est paré ? Eh ben, en avant, nos gens !

— Mais, père Jos, que dit Ustache Barjeon, on y est toutes !

— On y est toutes ?

—Ben sûr ! Comptez : on est six par canot ; trois fois six font dix-huit !

—C'est bon Dieu vrai ! que fit Fifi Labranche, comment c'que ça peut se faire ?

Aussi vrai que vous êtes là, les enfants, je comptis au moins vingt fois de suite ; et y avait pas à berlander, on était ben six par canot, c'qui faisait not' compte juste.

J'étais ben content d'avoir mon nombre, vous comprenez ; mais c'était un tour du Malin, allez, y avait pas à dire ; parce qu'on eut beau se recompter, se nommer, se tâter chacun son tour, pas moyen de découvrir qui c'est qu'avait manqué.

Ça marchit comme ça jusqu'au lendemain dans l'après-midi. Toujours six par canot : trois fois six, dix-huit ! Jusqu'à tant qu'on eut atteint le rapide de la Cuisse, là où c'qu'on devait faire portage pour rejoindre Bob Nesbitt, on fut au complet.

En débarquant à terre, comme de raison, ça nous encouragit à faire une couple de tours à la cruche. Et pi, quand on a nagé en malcenaire toute une sainte journée de temps, ça fait pas de mal de se mettre queuque chose dans le collet avant de se plier le dos sous les canots ou de se passer la tête dans les bricoles.

Ça fait que, quand on eut les intérieurs bien arrimés, je dis aux camarades :

— À c't'heure, les amis, avant qu'on rejoigne le boss, y s'agit de se compter pour la dernière fois. Mettez-vous en rang, et faut pas se tromper, c'te fois-citte.

Et pi, je commence ben lentement, en touchant chaque homme du bout de mon doigt.

— Un ! deux ! trois ! quatre ! cinq ! six ! sept ! huit !... Dix-sept !

Les bras me timbent.

Encore rien que dix-sept !

Sus ma place dans le paradis, les enfants, encore au jour d'aujourd'hui, je peux vous faire sarment devant un échafaud que je m'étais pas trompé. C'était ni plus ni moins qu'un mystère, et le Diable m'en voulait, sûr et certain, rapport à c'te vlimeuse de Célanire !

— Mais qui c'qui manque donc ? qu'on se demandait en se regardant tout ébarouis.

Ma conscience du bon Dieu, les enfants, j'avais déjà vu ben des choses embrouillées dans les chantiers ; eh ben, c't'affaire-là, ça me surpassait.

Comment me montrer devant le foreman avec un homme de moins, sans tant seurement pouvoir dire lequel est-ce qui manquait ? C'était ben le moyen de me faire inonder de bêtises.

N'importe ! comme dit monsieur le curé, on pouvait toujours pas rester là, c'pas ; fallait avancer.

On se mettit donc en route au travers du bois et dans des chemins, sus vot' respec', qu'étaient pas faits pour agrémenter la conversation, je vous le persuade !

À chaque détour, j'avais quasiment peur d'en perdre encore queuqu'un.

Toujours que, de maille et de corde, et de peine et de misère, grâce aux cruches qu'on se passait de temps en temps d'une main à l'autre, on finit par arriver.

Bob Nesbitt nous attendait assis sus une souche.

— C'est vous autres ? qu'y dit.

— À pu près ! que je réponds.

— Comment, à pu près ? Vous y êtes pas toutes ?

Vous vous imaginez ben, les enfants, que j'avais la façon courte ; mais c'était pas la peine de mentir, c'pas ; d'autant que Bob Nesbitt, comme je l'ai dit en commençant, entendait pas qu'on jouît du violon sus c'te chanterelle-là. Je pris mon courage à brassée, et je dis :

— Ma grand' conscience, c'est pas de ma faute, monsieur Bob, mais... y nous en manque un.

— Il en manque un ? Où c'que vous l'avez sumé ?

— On... sait pas.

— Qui c'est qui manque ?

— On... le sait pas non plus.

— Vous êtes saoûls, que dit le boss ; je t'avais-t'y pas recommandé, à toi, grand flanc de Jos Violon, de toujours les compter en embarquant et en débarquant ?

— Je les ai comptés, peut-être ben vingt fois, monsieur Bob.

— Eh ben ?

— Eh ben, de temps en temps, y en avait dix-huit, et de temps en temps y en avait rien que dix-sept.

— Quoi c'que tu ramanches là ?

— C'est la pure vérité, monsieur Bob ; demandez-leux !

— La main dans le feu ! que dirent tous les hommes depuis le plus grand jusqu'au plus petit.

— Vous êtes tous pleins comme des barriques ! que dit le foreman. Rangez-vous de file que je vous compte moi-même. On verra bien ce qu'en est.

Comme de raison, on se fit pas prier ; nous v'lons toutes en ligne, et Bob Nesbitt commence à compter :

— Un ! deux ! trois ! quatre !... Exétéra... Dix-huit ! qu'y dit. Où c'est ça qu'il en manque un ? Vous savez donc pas compter jusqu'à dix-huit, vous autres ? Je vous le disais ben que vous êtes tous saoûls ! Allons, vite ! faites du feu et préparez la cambuse, j'ai faim !

Le sour-lendemain au soir, j'étions rendus au chanquier, là où c'qu'on devait passer l'hiver.

Avant de se coucher, le boss me prend par le bras et m'emmène derrière la campe.

— Jos, qu'y me dit, t'as coutume d'être plus correct que ça.

— Quoi c'que y a, monsieur Bob ?

— Pourquoi t'est-ce que tu m'as fait c'te menterie-là, avant z'hier ?

— Queue menterie ?

— Fais donc pas l'innocent ! À propos de cet homme qui manquait... Tu sais ben que j'aime pas être blagué comme ça, moi.

— Ma grand' conscience... que je dis.

— Tet ! tet ! tet ! Recommence pas !

— Je vous jure, monsieur Bob.

— Jure pas, ça sera pire.

J'eus beau me défendre, ostiner, me débattre de mon mieux, le véreux d'Irlandais voulut pas m'écouter.

— J'avais une bonne affaire pour toi, Jos, qu'y dit, une job un peu rare ; mais puisque c'est comme ça, ça sera pour un autre.

Comme de faite, les enfants, aussitôt son engagement fini, Bob Nesbitt nous dit bonsoir et repartit tout de suite pour le Saint-Maurice avec un autre Irlandais.

Quoi c'qu'il allait faire là? On sut plus tard que le chanceux avait trouvé une mine d'or dans les crans de l'île aux Corneilles.

À l'heure qu'il est, Bob Nesbitt est queuque part dans l'Amérique, à rouler carosse avec son associé; et Jos Violon, lui, mourra dans sa chemise de voyageur, avec juste de quoi se faire enterrer, m'a dire comme on dit, suivant les rubriques de not' sainte Mère.

De vot' vie et de vos jours, les enfants, dansez jamais sus le dimanche; ç'a été mon malheur.

Sans c'te grivoise de Célanire Sarrazin, au jour d'aujourd'hui Jos Violon serait riche foncé.

Et cric, crac, cra! Sacatabi, sac-à-tabac! Mon histoire finit d'en par là.

Les Lutins

—Les lutins, les enfants? Vous demandez si je connais c'que c'est que les lutins? Faudrait pas avoir roulé comme moi durant trente belles années dans les bois, sur les cages et dans les chanquiers pour pas connaître, de fil en aiguille, tout c'qu'y a à savoir sus le compte de ces espèces d'individus-là. Oui, Jos Violon connaît ça, un peu!

Il va sans dire que c'était précisément Jos Violon lui-même, notre conteur habituel, qui avait la parole et qui se préparait à nous régaler d'une de ses histoires de chantiers dont il avait été le témoin, quand il n'y avait pas joué un rôle décisif.

— Qu'est-ce que c'est, d'abord, que les lutins ? demanda quelqu'un de la compagnie. C'est-y du monde ? C'est-y des démons ?

— Ça, par exemple, c'est plusse que je pourrais vous dire, répondit le vétéran des pays d'en haut. Tout ce que je sais, c'est qu'il faut pas badiner avec ça. C'est pas comme qui dirait absolument malfaisant, mais quand on les agace ou qu'on les interbolise trop, faut s'en défier. Y vous jouent des tours qui sont pas drôles : témoin, c'te jeune mariée qu'ils ont promenée toute la nuit de ses noces, à cheval, à travers les bois, pour la ramener tout essouf-flée et presque sans connaissance, à cinq heures du matin. Je vous demande un peu si c'est des choses à faire !

D'abord, les lutins, tous les ceusses qu'en ont vu, moi le premier, vous diront que si c'est pas des démons, c'est encore bien moins des Enfant-Jésus. Imaginez des petits bouts d'hommes de dix-huit pouces de haut, avec rien qu'un œil dans le milieu du front, le nez comme une noisette, une bouche de ouaouaron fendue jusqu'aux oreilles, des bras pi des pieds de crapauds, avec des bedaines comme des tomates et des grands chapeaux pointus qui les font r'sembler à des champignons de printemps.

Cet œil qu'ils ont comme ça dans le milieu de la physiolomie flambe comme un vrai tison; et c'est ce qui les éclaire, parce que c'te nation-là, ça dort le jour, et la nuit ça mène le ravaud, sus vot' respèque. Ça vit dans la terre, derrière les souches, entre les roches, surtout sour les pavés d'écurie, parce que, s'ils ont un penchant pour quèqu' chose, c'est pour les chevaux. Ah! pour soigner les chevaux, par exemple, y a pas de maquignons dans la Beauce pour les matcher. Quand ils prennent un cheval en amiquié, sa mangeoire est toujours pleine, pi faut y voir luire le poil ! Un vrai miroir, les enfants, jusque sour le ventre. Avec ça, la crinière et la queue fionnées comme n'importe queu toupet de créature ; faut avoir vu ça comme moi. Écoutez ben c'que je m'en vas vous raconter, si on veut tant seulement me donner le temps d'allumer.

Et, après avoir soigneusement allumé sa pipe à la chandelle et débuté par son préambule ordinaire : « Parli, parlo, parlons », etc., le vieux narrateur entama son récit dans sa formule accoutumée :

— C'était donc pour vous dire, les enfants, que c't'année-là, j'étions allés en hivernement sur la rivière au Chêne, au service du vieux Gilmore, avec une gang de par cheux nous ramassée dans les hauts de la Pointe-Lévis et dans les foulons du cap Blanc.

Quoique not' chanquier fût dans les environs du Saint-Maurice, le père

Gilmore avait pas voulu entendre parler des rustauds de Trois-Rivières. Y voulait des travaillants corrects, pas sacreurs, pas ivrognes et pas sorciers. Des coureux de chasse-galerie, des hurlots qui parlent au Diable et qui vendent la poule noire, y en avait assez, à qui paraît.

En sorte qu'on était tous d'assez bons vivants, malgré qu'on eût pas occasion d'aller à la basse messe tous les matins.

Comme vous devez le savoir, les enfants, la rivière au Chêne, c'est pas tout à fait sus le voisin, comme on dit : mais c'est pas au diable vert non plus. En partant de Trois-Rivières, on se rend là dans deux jours et demi farauds : et comme le trajet s'y oppose pas, ça vous donne la chance d'emmener des chevaux avec vous autres pour le charriage.

Le boss s'en était gréyé de deux avant de partir. Un grand noir à moitié dompté, avec une petite pouliche

cendrée, fine comme une soie. Belzémire qu'a s'appelait. Une anguille dans
le collier, les enfants, épi une vraie
poussière sur la route. Je vous dis que
c'était snug c'te petite bête-là! Tout le
monde l'aimait. C'était à qui d'nous
autres volerait un morceau de sucre à
la cambuse pour y donner.

Je vous ai t'y dit que le grand Zèbe
Roberge faisait partie de not' gang? Et
ben, c'était lui qu'était chargé de l'écurie, autrement dit de faire le train. Un
bon garçon comme vous savez, Zèbe
Roberge. Et comme je venions tous les
deux de la même place, j'étions une
paire d'amis, et le dimanche, dans les
beaux temps, j'allions souvent fumer la
pipe ensemble à la porte de l'étable, en
prenant ben garde au feu, comme de
raison.

— Père Jos, qu'y me dit un jour,
croyez-vous aux lutins, vous?

— Aux lutins?

— Oui.

— Pourquoi c'que tu me demandes ça?

— Y croyez-vous?

— Dame, c'est selon, que je dis, c'est pas de la religion, ça : on n'est pas oubligé d'y croire.

— C'est ce que je pensais étout moi, que dit Zèbe Roberge; je me disais aussi : «C'est selon» . Et ben, écoutez! C'est pas de la religion, c'est vrai; mais, que le bon Dieu me le pardonne! je commence à y croire tout de même, moi.

— Aux lutins?

— Aux lutins!

— Tu dis ça pour rire?

— Pantoute! Tenez, mettez-vous à ma place, père Jos. Tous les lundis matins, depuis quèque temps, j'ai beau me lever de bonne heure, devinez quoi c'que je trouve à l'écurie!

— Dame...

— Vrai comme vous êtes là, j'y comprends rien. Belzémire est déjà toute soignée, plein sa crèche de foin, plein sa mangeoire d'avoine, le poil comme un satin, mais tout essoufflée comme si a venait de faire quinze lieues d'une bauche.

— Pas possible !

— Ma grande vérité ! Ça m'a chiffonné la comprenure d'abord ; mais j'en ai pas fait trop de cas, parce que j'avais pas remarqué le principal : à la clarté d'un fanal, comme de raison, on peut pas tout voir. Ce qui m'a mis la puce à l'oreille, par exemple, c'est quand j'ai entendu, lundi dernier, France Lapointe qui disait à Pierre Fecteau : « Regarde-moi donc comme le grand Zèbe a soin de sa Belzémire ! Si on dirait pas qu'y passe son dimanche à la pomponner pi à la babichonner ! » En effette, père Jos, la polissonne de jument avait la crigne épi la queue peignées, ondées, frisottées, tressées, je vous mens pas, que c'en était... criminel. Je me dis en moi-même : « V'là queuque chose de curieux. Faudra surveiller c't'affaire-là. »

— As-tu ben surveillé ?

— Toute la semaine suivante, père Jos.

— Et puis ?

— Rien !

— Et le lundi matin ?

— Toujours la même histoire ; la jument les flancs bandés comme un tambour ; et le crin... Entrez voir, père Jos, il est pas encore défrisé.

Parole de Jos Violon, les enfants, en apercevant ça, y me passit comme une souleur dans le dos. J'appelle pus ça frisé : on aurait juré que la vingueusc de pouliche était pommadée comme pour aller au bal. Il y manquait que des pends-d'oreilles avec une épinglette. On se demandait, nous deux Zèbe, c'que ça voulait dire, quand on entendit, du côté de la porte, une voix qui nous traitait d'imbéciles.

On se retourne, c'était Pain-d'épice qui venait d'entrer.

Pain-d'épice, les enfants (je sais pas si je vous en ai parlé) était une espèce d'individu qu'avait toujours la pipe au bec, un homme des Foulons qui s'appelait Baptiste Lanouette, mais que les camarades avaient surnommé Pain-d'épice, on sait pas trop pourquoi. Un bon garçon, je cré ben, mais un peu sournois, à ce qu'y me semblait. Il s'approchit de nous autres sus le bout des pieds et nous soufflit à l'oreille :

— Vous voyez pas que c'est les lutins !

— Hein !

— Vous voyez pas qu'elle est soignée par les lutins ? C'est pourtant ben clair.

Zèbe Roberge tournaillait sa chique dans sa bouche, l'air tout ébaroui.

— J'étais justement en train de parler de d'ça au père Jos, qu'y dit.

— Tut, tut ! fit Pain-d'épice, faut pas faire le capon comme ça. Y a pas de doute que y a quèque sortilège de c't'espèce-là au fond du sac... J'ai quasiment envie, moi, d'envoyer toute ma conçarne au... T'ont pas fait mal depuis le commencement de l'hiver, les lutins. Eh ben, laisse porter. C'est pas malfaisant, ni vlimeux. Parles-en pas seulement. Si on se mêle pas de leux affaires, y a pas de son avec eux autres. Je connais ça, moi, les lutins ; j'en ai vu ben chux mon défunt père qu'était charrequier.

Je vous dirai ben, les enfants, c't'histoire-là me chicotait un peu.

— C'est ben correct tout ça, que je dis à Zèbe Roberge, le lendemain au soir. Mais ça me déplairait pas d'en voir, moi, des lutins. Y a pas de mal ; c'est pas dangereux ; et pi j'ai entendu dire que quand on pouvait en poigner un, c'était fortune faite ; de l'argent à jointées ! Quand c'est une femelle surtout – c'est ce qu'est arrivé à un gros marchand de la rivière Ouelle – on peut l'échanger pour un baril plein d'or. Dis donc, Zèbe, si on était assez smarts, tu comprends...

Zèbe avait commencé d'abord par faire la grimace ; mais quand il entendit parler du baril plein d'or, je vis que ça commençait à y tortiller le caractère. Enfin, pour piquer au plus court, on décidit de se cacher tous les deux dans l'étable, le dimanche au soir, et de watcher les diablotins quand ils viendraient faire leux manigances avec la Belzémire.

Comme de faite, le dimanche au soir arrivé, dès sept heures et demie, nous v'lont nous deux, Zèbe Roberge, accroupis d'un coin de l'écurie, derrière un quart de son pi deux bottes de paille, pendant que not' fanal (faulait ben voir clair, c'pas) paraissait avoir été oublié sus sa tablette, en arrière de la pouliche.

On fut pas longtemps à l'affût. Il
était pas encore huit heures quand on
entendit comme une espèce de petit
remue-ménage qu'avait l'air de venir
dret d'au-dessour de nous autres. Nous
v'lont partis à trembler comme deux
feuilles ; on a beau être brave, c'pas...

Jos Violon pi une poule mouillée,
ça fait deux, vous savez ça ; eh ben, je
sais pas ce qui me retint de prendre la
porte pi de me sauver. Faut que ça soit
Zèbe qui me retint, parce que je
m'aperçus qu'il avait la main frette
comme un glaçon. Je le crus sans
connaissance. Surtout quand je vis, à
deux pas de not' cachette, devinez
quoi, les enfants ! un des madriers du
plancher qui se soulevait tout douce-
ment comme s'il avait été poussé par
en-dessour. Ça pouvait pas être les
rats : on fit un saut, comme de raison.
Crac ! v'là le madrier qui se replace,
tout comme auparavant. Je crus que
j'avais rêvé.

— As-tu vu ? que je dis tout bas à Zèbe.

C'est à peine s'il eut la force de me répondre :

— Oui, père Jos ; j'sommes finis, ben sûr !

— Bougeons pas ! que je dis, pendant que Zèbe, qu'était un bon craignant Dieu, faisait le signe de la croix des deux mains.

Tout d'un coup, v'là la planche qui recommence à remuer ; épi nous autres à regarder. C'te fois-citte on avait not' en belle : le trou se montrait tout à clair à la lueur de not' fanal. D'abord on vit r'sourdre le bout à pic d'un chapeau pointu, puis un grand rebord à moitié rabattu sur quèque chose de reluisant comme une braise qui nous parut d'abord comme une pipe allumée, mais que je compris plus tard être c't'espèce d'œil flambant que ces races-là ont dans le milieu du front. Sans ça, ma grand' conscience du bon

Dieu, j'aurais quasiment cru reconnaître Pain-d'épice avec son brûle-gueule. C'que c'est que l'émagination ! J'crus même l'entendre marmotter : « Quins, Zèbe a oublié d'éteindre son fanal ! »

Je fis ni une ni deux, j'mis la main dans ma poche pour aveindre mon chapelet. Bang ! v'là mon couteau à ressort qui timbe par terre, Zèbe qui jette un cri, le chapeau pointu qui disparaît et moi qui prends la porte et pi mes jambes, suivi par mon associé qu'était loin de penser aux jointées d'argent et aux barils pleins d'or, je vous en signe mon papier !

Vous pouvez ben vous imaginer, les enfants, qu'on fut pas pressé de parler de notre aventure. Y avait pas de danger qu'on risquît de se mettre dans les pattes de c'te société infernale qu'on avait eu juste le temps de voir en échantillon. On savait c'qu'on voulait savoir, c'pas ; c'était pas la peine de mettre toute la sarabande à nos trousses. On laissit marcher les affaires tel que c'était parti.

Tous les lundis matins, Zèbe trouvait Belzémire ben soignée, et sa toilette faite. Ça fut ben pire au jour de l'an, par exemple; ce jour-là, pas de Belzémire! Elle a reparu dans son part que le lendemain matin, fraîche comme une rose. Quoi c'qu'elle était devenue pendant ce temps-là? Pain-d'épice qu'avait passé la journée à la chasse nous jurit sus sa grand' conscience qu'il l'avait vue filer au loin pardessus les âbres comme si le Diable l'avait emportée.

Je m'informais de temps en temps de ce qui se passait; mais sitôt que j'ouvrais la bouche là-dessus:

— Je vous en prie, père Jos, que me disait le grand Zèbe, parlons pas de d'ça, c'est mieux. Chaque fois que je mets le pied dans l'écurie, je tremble toujours de voir la gueuse de planche se lever et le maudit chapeau pointu se montrer. On est pas près de me revoir par icitte ; tout le Saint-Maurice est ensorcelé, qu'on dirait !

Jos Violon était pas pour le démentir, les enfants ; parce que, aussi vrai comme vous êtes là, je ne sais pas si c'est à cause du voisinage de Trois-Rivières, mais j'ai jamais passé un hivernement dans les environs du Saint-Maurice sans qu'il nous arrivit quèque vilaine traverse.

Quoi qu'il en soit, comme dit monsieur le curé, le printemps arrivé, on se fit pas prier pour prendre le bord d'en bas. Les rafts étaient parées, tout le monde arrimit son petit bagage pour se mettre en route. Les cloques, les casques, les raquettes, les outils, les fusils, les pièges, le violon de Fifi Labranche, le damier à Bram Couture, exétéra, exétéra !

Le boss nous avait chargés, Zèbe Roberge épi moé, de ramener les deux chevaux. Nous v'là partis tous les deux en traîne avec Belzémire dans les ménoires et le grand noir qui nous suivait par derrière. On descendait grand train, quand, à un endroit qu'on appelle la Fourche, v'là-t'y pas la jument qui se lance à bride abattue à gauche, au lieur de piquer à droite le long de la rivière.

Zèbe tire, gourme, cisaille : pas d'affaires ! La gueuse de Belzémire filait comme le vent. Qu'est-ce que ça voulait dire ?

— Enfin, laissons-la faire, que je dis ; on rejoindra la rivière plus loin.

On fit ben sûr cinq bonnes lieues de ce train-là, et je commencions à trouver la route longue quand on aperçut une maison.

« Bon ! que j'allais dire, on va pouvoir se dégourdir un peu les éléments ! »

Mais j'avions pas fini d'ouvrir la bouche que Belzémire était arrêtée dret devant la porte.

—Quins! que dit Zèbe Roberge, on dirait que la guevalle connaît les airs, elle a pourtant jamais rôdé par icitte.

Comme il achevait de dire ça, v'là la porte qui s'ouvre, épi qu'on entend une petite voix claire qui disait :

—Quins! c'est la jument à monsieur Baptiste! Voyez donc si elle est fine, a se reconnaît, elle qu'est presque jamais venue le jour...

—Tais-toi, pi ferme la porte! cria une grosse voix bourrue partie du fond de la maison.

—Paraît que je sommes de trop dans le chanquier, que dit Zèbe Roberge, avec un coup de fouet sus la croupe à Belzémire qui partit en jetant un coup d'œil de travers à la maison.

A sentait le lutin, c'est ben clair.

L'année d'après, qui c'que vous pensez que je rencontre dans le fond du Cul-de-sac, à Québec? Baptiste Lanouette, dit Pain-d'épice, avec sa pipe au bec, comme de raison, épi gréyé d'un grand chapeau pointu qui me fit penser tout de suite à celui que j'avais vu sus la tête du lutin, à la rivière au Chêne.

Y me racontit qu'il avait ben manqué d'en attraper un, dans la même écurie où c'que moi pi Zèbe j'avions vu le nôtre ; si ben que le chapeau y en était resté dans les mains.

Je l'avais ben reconnu tout de suite, allez !

Diable de Pain-d'épice, dites-moi ! Encore un peu... y serait ben riche à c't'heure.

Si jamais vous passez par les foulons du cap Blanc, les enfants, demandez Baptiste Lanouette et parlez-y de d'ça : vous verrez si Jos Violon est un menteur !

La Hère

C eci nous reporte en 1848, ou à peu
près.

Nous étions, ce soir-là, un bon
nombre d'enfants et même de grandes
personnes – des cavaliers avec leurs
blondes pour la plupart – groupés en
face d'un four à chaux dont la gueule
projetait au loin ses lueurs fauves au
pied d'une haute falaise, à quelques
arpents de chez mon père, dans un
vaste encadrement d'ormes chevelus et
de noyers géants.

Jos Violon, notre conteur ordinaire,
après avoir allumé sa pipe à l'aide d'un
tison et toussé consciencieusement

pour s'éclaircir le verbe, suivant son expression habituelle, se préparait à prendre la parole sur un sujet qui piquait tout particulièrement notre curiosité; car, à notre dernière «veillée de contes», le vétéran des «pays d'enhaut» nous avait promis de nous parler de la Hère.

— La Hère, mes enfants, dit-il, c'est peut-être rien de nouveau à vous apprendre, c'est une bête, mais une bête ben rare, vu qu'elle est toute fine seule de son espèce. Une bête ordinaire a des petits, c'pas; c'est la mode même parmi les sarpents. Mais la Hère, elle, ben loin d'avoir des petits, a tant sourment pas ni père ni mère... au moins d'après c'que les vieux en disent.

Les autres bêtes, ça se jouque, ça se niche, ça s'enterre, ça rôde, ça pacage, ça se loge queuque part; la Hère, elle, on n'a jamais pu savoir là où c'que ça se quint. On dirait que ça existe pas.

Vous allez me demander si c'est une bête dangereuse. Dame, c'est permis de le croire, si faut en juger par sa réputation qu'est ben loin d'être c'que y a de plus soigné parmi les bons chrétiens. Quand vous rencontrez un homme bourru, hargneux, mal commode, vous dites : « C'est une hère », c'pas ; « Est-il hère un peu c't'animal-là ! » En sorte que, les enfants, c'est pas une bête à caresser ; son nom le dit.

Ça se montre par-ci par-là, tous les cinquante ans, d'autres disent tous les cent ans – comme un jubilé – la nuit, quand il fait ben noir, pendant les orages, dans les bois, sus le bord des grèves, dans les coins malfaisants. Et c'qu'est le plus estrédinaire, c'est que les ceusses qui ont la malchance de voir ça veulent jamais ouvrir la bouche pour en parler.

Une fois, dans les fonds de Saint-Antoine de Tilly, une pauvre femme fut enlevée par la terrible bête. Eh ben, malgré que son mari eût tout vu, y a pas eu un juge, ni un avocat, ni un curé pour y faire dire c'que sa femme était devenue. Chaque fois que quelqu'un y parlait de d'ça, y partait à trembler comme une feuille.

Pourtant y en a qui l'ont vue, sûr et certain, la Bête, puisque les gens de Lanoraie et pi de l'Industrie l'appellent jamais autrement que la «Bête-à-grand' queue». Comment c'qu'on pourrait savoir si elle a une grand' queue, si on l'avait jamais vue, c'pas?

Pour dire le vrai, les enfants, Jos Violon est pas un homme à se vanter, vous savez ça; je l'ai jamais vue, moi, la Bête – au moins j'en ai pas eu connaissance. Et pi c'est ben heureux, puisque les ceusses qui l'ont vue peuvent pas rien en dire. Si y a quelqu'un qui peut en parler, comme on dit apertement, c'est les ceusses qui l'ont pas vue. Ça c'est plein de bon sens.

Enfin, j'm'en vais vous raconter ce que j'en sais dans le fin fond de ma connaissance, les enfants, et vous me crairez si vous voulez.

C'était donc pour vous dire que, c't'année-là, Zèbe Roberge et pi moi, on s'était engagés pour aller faire une rôdeuse de cage de pin rouge sus la rivière aux Rats qu'est – vous en avez déjà p'tête ben entendu parler – qu'est comme qui dirait une branche du Saint-Maurice ; mais une vilaine branche, m'a dire comme on dit, parce que c'est ça qui se trémousse la corporation un peu croche, c'est le cas de le dire.

C'est des écorres, c'est des crans, des anses, des rochers, des cailloux gros comme des maisons, avec des remous, les enfants, qu'un rapide attend pas l'autre. Pas moyen de faire dix arpents sus c'te vingueuse de rivière-là sans s'demander si on est pas sus le bord de queuque principice qu'a pas de fond.

Ils appellent ça la rivière aux Rats; si elle est *au ras* de queuque chose, c'est toujours pas loin de l'Enfer. Y avait rien qu'en dedans de la Pointe-à-Baptiste, qu'on appelle, là où c'qu'on pouvait mouiller un canot et se faire entendre d'un rivage à l'autre, quand on criait fort.

En tout cas, j'ai vu ben des alimaux rôder dans les environs; et je vous persuade, les enfants, que c'était pas des rats – à moins que ça fût des rats de dix pieds de long.

Zèbe Roberge, lui, prétendait dur comme fer que c'était des loups-garous. Il avait vu – à ce qu'il disait – un gros chien noir qui l'avait regardé en hurlant, avec des yeux flambants comme des tisons; et comme personne avait vu ce chien-là auparavant, c'était ben assez pour faire penser, c'pas. Mais faut savoir aussi que Zèbe avait, comme on dit, une manière, comme qui dirait une lyre, c'était de voir des sorciers partout.

Depuis son aventure avec un lutin qui nous avait montré son chapeau pointu et pi son œil rouge sour le pavé d'un écurie, y pouvait pas ouvrir la bouche sans raconter quèque histoire de sorcilège. On aurait dit qu'il les inventait.

Y avait dans not' gang un bon petit jeune homme qu'on appelait – je sais pas trop pourquoi – Johnny LaPicotte. Y en a qui pensaient que c'était parce qu'il était picoté un peu fort. Pour dire le vrai, il était picoté hors du commun ; on voyait presque au travers. C'est pas ça qui l'embellissait, vous comprenez. Mais à part de d'ça, pas de malice pour un sou ; c'était le seul défaut qu'il avait dans son caractère.

Pas paresseux, pas sacreur, pas bavard, toujours prêt à rendre service, on l'aimait ben. Et, assez souvent, le soir, quand le temps était doux, j'allions tous les deux faire un petit tour de jase sur le bord de la rivière, en fumant not' pipe sans faire semblant de rien. J'avais du bon tabac haché ben fin, et ça y faisait plaisir de charger dans ma blague. Il était jongleux, moé étout ; enfin on s'accordait comme une paire de vieux amis.

Queuquefois on s'assisait tous les deux sus une souche ou sus le bord d'un écran et je regardions la leune se lever, sans souffler motte. Vous allez me dire que ça devait pas être tout à fait aussi réjouissant qu'un bal de mariés ; j'suit avec vous autres, mais aussi j'ai pas besoin de vous dire à mon tour que ça durit pas toute l'hiver. On en eut assez de l'automne.

Si vous vous en souvenez, Zèbe Roberge était mon piqueux ; ce qui fait que, tandis que je travaillais de la grand'hache et que lui s'occupait à piquer ou à botter, j'avions pris l'habitude de jaser de temps en temps sus l'ouvrage, histoire de trouver la journée moins longue. Quand on est de la

même place, vous comprenez, les enfants, il est rare qu'on ait pas queuque
chose à se dire.

Une bonne après-midi donc que le
temps était d'un beau calme et que nos
coups de hache retontissaient dans le
bois comme de la vraie musique, Zèbe
s'arrêta de piquer pour se cracher dans
les mains, et pi, sans lever les yeux sus
moi – crainte de m'interboliser manquable –, y me dit comme ça :

— Père Jos !

— De quoi ? que je lui réponds.

— Vous sortez gros avec Johnny
LaPicotte, sans reproche.

— Ça se peut, que je dis, y a-t-il du
mal à ça ?

— Y a pas grand mal, j'cré ben... Et
pis vous allez trouver que c'est pas
beaucoup de mes affaires. Mais c'est
pas pour dire, ça commence à faire des
parlements dans le chanquier. Les
camarades se demandent souvent de
quoi t'est-ce que vous avez tant à vous

raconter. Lui qu'est de Batiscan, et pi vous qu'êtes de la Pointe-Lévis, c'est pas comme nous deux que je sommes de la même paroisse.

— De quoi qu'ils ont tous à bavasser, que je dis ? En v'là, par exemple !

— Eh ben, vous ferez comme vous l'entendrez, père Jos ; mais du train qu'y vont là, vous finirez par passer pour sorcier vous étout.

— Comment ça ?

— Vous savez pas que Johnny LaPicotte passe pour avoir toutes sortes de manigances avec le méchant esprit ?

— Bon ! que je dis, te v'là encore avec tes idées, mon pauv' Zèbe ! Chasse-toi donc ces machines-là de la tête, hein ! je t'en prie. Ça te jouera des mauvais tours. Tu vois des sorciers partout ; prends garde de pas voir le Diable à queuque détour !

— Père Jos, qu'y dit, quand on a les yeux ouverts, on voit ben des choses ; et pi Zèbe Roberge les a pas fermés,

les yeux, c'est tout ce que j'ai à vous
dire !

— Gageons que t'as vu la Hère ! On
en parle gros par icitte, de la Hère !
Bande de fous !

— Non, j'ai pas vu la Hère ! Vous
savez ben que si je l'avais vue, je
ferais comme les autres : j'en parlerais
jamais. Mais j'ai entendu des choses...
par exemple... des choses... qu'étaient
pas correctes, ben sûr !

— Des choses que Johnny avait
affaire là-dedans ?

— Dame, écoutez, vous en jugerez
par vous-même, père Jos. Vous
souvenez-vous, y a queuque temps,
quand le boss nous avait envoyés, moi
pi Johnny, derrière la Pointe-à-Baptiste
pour chercher un bout de chaîne qu'il
avait laissé dans le fond du grand
canot de la drave ?

— Eh ben ?

— Eh ben, écoutez ce qui nous est
arrivé !

— Voyons voir.

— Quand on fut rendus sus le bord de la grève où c'que j'avions remisé le canot, comme j'étions pas absolument pressés de nous en retourner, il nous prit l'envie de nous assire sus un billot à sec, pour allumer. Y avait déjà un petit bout de temps qu'on fumait quand LaPicotte me dit :

— Zèbe, avez-vous jamais remar-qué la belle écho qu'y a par icitte ?

— Quelle écho ? que je dis.

— Dame, l'écho qu'y a par icitte ; quoi c'que vous voulez que je dise de plusse ? L'avez-vous remarquée ?

— Non ! De quoi t'est-ce qu'elle a, c't'écho ?

— Eh ben, qu'y dit, c'est la plus drôle d'écho que vous avez jamais entendue. Ça parle, m'a dire comme on dit, ça parle, sans comparaison, aussi franc comme une grand' personne.

— Tu me dis pas ça !

— Vrai comme vous êtes là !

— Vous avez qu'à voir ! Pi y a-t-y moyen de la faire parler ?

— On peut toujours esseyer. Criez queuque chose : a vous répondra p'tête ben.

— C'est pas difficile, que je dis. N'importe quoi ?

— N'importe quoi.

— Comme de faite, père Jos, je monte sur une souche, je me tourne du côté de la rivière, je me fais un cornet avec mes deux mains et, sans chercher midi à quatorze heures, je beugle dedans : Comment ça va, ma vieille ? Bon sang de mon âme, vous me crairez jamais !

— Continue, je t'écoute.

— Père Jos, que me dit Zèbe qui avait recommencé à piquer ; de quoi c'qu'une écho naturelle vous répond, quand vous y parlez ?

— C'te demande ! a répète le dernier mot qu'on y dit. C'est comme ça par cheux nous toujours.

— Eh ben, que me dit Zèbe, c'est pas comme ça sus la rivière aux Rats. Aussi vrai comme v'là un sapin qui me regarde, sus ma grand' conscience du bon Dieu, père Jos ! J'avais pas plus tôt lâché « Comment ça va, ma vieille ? » que j'entendis une grosse voix qui sortait du bois de l'autre côté de la rivière et qui disait – il m'en passe encore des souleurs entre les deux épaules – qui disait : « Ben, pi toé, mon vieux ! »

J'ai pas besoin de vous dire si ça me donnit une tape dans le creux de l'estomac.

« Ça, c'est une écho ! que dit LaPicotte. Continuez, demandez-y d'autre chose, vous allez voir. »

J'avais plutôt envie de me sauver parce que je crayais quasiment, sus votre respèque, que j'avais parlé au Diable. Pourtant, en y réfléchissant, je me dis que je m'étais p'tête ben trompé, que j'avais mal compris. Je fais ni une ni deux, je me piète comme pour abattre un âbre et je recommence. C'te fois-citte, par exemple, je fais pas de questions. « Je m'endors », que je crie à pleine tête.

« Va te coucher ! » que l'écho me réciproque sus un ton à se moquer de moi comme si elle avait été payée pour.

Ça fait rien, père Jos ; comme je voulais en avoir le cœur net, je me décourage pas. J'avions pas mangé depuis le matin ; l'estomac commençait à me tirailler...

« J'ai faim ! », que je criai encore de ma voix la plus caverneuse. Ma parole la plus sacrée, père Jos, cent taures auraient pas pu faire mieux, comme y disent queuque fois dans les livres.

Ah ! la nom de gueuse d'écho ! Vous êtes pas capable de deviner la grossièreté que l'infâme m'envoyit en pleine face. Je l'entendis tout à clair, comme si ça fut parti à côté de moi.

Jamais j'avais encore été affronté de c'te façon-là. La gueule sale, père Jos !

— De quoi c'qu'a pouvait ben avoir dit ?

— Ce qu'elle avait dit ? Ça se répète pas, père Jos. Y a pas de polisson capable d'engueuler un homme respectable avec des paroles aussi peu polies que ça !

— Un émagination, mon pauv' Zèbe ! que je dis.

— Un émagination ? Si vous aviez entendu ça, père Jos, et surtout si vous aviez fait c'que c'te damnée écho me disait de faire, vous auriez ben vu que c'était point de l'émagination. Jamais personne avait encore osé me fendre la face de c'te façon-là !

Vous le savez comme moi, père Jos, y a queuquefois des malappris dans les chanquiers ; mais j'en ai jamais rencontré pour parler aussi crûment que c't'écho-là, à moins d'être en ribote. Ah ! LaPicotte pouvait ben le dire qu'a parlait aussi franc comme une grand' personne !

—Dame, que je dis, t'étais pas obligé de faire ce qu'a te commandait, elle était pas sous serment.

—N'importe, père Jos, qu'y dit, sous serment ou non, trouvez-vous ça ben naturel, vous ?

—C'est selon.

—Comment, c'est selon ?

—Dame, écoute, les échos, ça pourrait ben être comme le monde, ça ; y en a p'tête qui sont ben élevées, et pi d'autres qui le sont pas. C'est toujours pas de la faute à Johnny LaPicotte, ça !

—Hum ! fit Zèbe en tortillant sa chique sus tous les sens, pas de sa faute ? Sais pas trop ! On me fera pas accraire qu'y a pas un peu de sorcilège dans tout ça.

Pauv' Zèbe ! un bon garçon, pas capable d'insulter une mouche, mais qui s'émaginait toujours avoir queuque sorcier à ses trousses. Jamais personne put y ôter de l'idée que Johnny LaPicotte parlait au Diable et qu'il avait fait connaissance avec la Hère. Le plus curieux, c'est qu'il s'était fourré dans le chignon que, moi étout, j'avais vu la Bête.

Je vous demande un peu !

— Mais, en effet, s'écria quelqu'un parmi les auditeurs suspendus aux lèvres du vieux conteur, il me semble qu'on était réunis ce soir pour entendre parler de la Hère, et c'est à peine si vous nous en avez dit un mot. D'après ce que je peux voir, on n'est pas plus avancés qu'auparavant.

— Dame, fit en hésitant maître Jos Violon qui venait de rallumer sa pipe, je vous ai dit en commençant, c'pas, que les ceusses qu'ont eu le malheur de voir le monstre infernal, autrement dit la Hère ou la Bête à grand' queue, comme vous voudrez, en ont tout de suite perdu la mémoire et que jamais personne a pu leux tirer du corps un motte sus la question.

Quant aux ceusses qui l'ont pas vue, c'est comme pour tout le reste, y en a pas manque qu'en parlent, mais c'est comme pour tout le reste étout, y s'accordent tout ensemble, mais c'est pour se contredire.

Au bout du compte, c'est encore moi, Jos Violon, qu'en sais le plus long sus la Hère, parce que si je l'ai pas vue, moi, je peux au moins me vanter de l'avoir entendue.

Oui, un soir que je me promenais en fumant ma pipe avec Johnny LaPicotte sus le bord de la rivière aux Rats, comme je vous disais tout à l'heure, la conversation tombit sus c'te drôle d'écho que Zèbe Roberge m'avait parlé.

—Tenez, père Jos, que me dit Johnny, vous êtes ben trop honnête homme et vous avez du trop bon tabac pour qu'on vous blague. C'que Zèbe Roberge a entendu, c't'après-midi-là, tenez – faudra pas y dire, par exemple

– c'était de l'émagination, rien que de l'émagination.

— C'était ben c'que je pensais, que je dis, et pourtant...

— Et pourtant... Eh ben, écoutez, père Jos, et dites rien.

Alors, les enfants, j'en frissonne encore, j'entendis une voix... une voix... ou plutôt un hurlement épouvantable qui sortait du bois et qui paraissait courir sus nous autres.

— Mon Dieu, qu'est-ce que c'est que ça ? que je m'écriai.

— Ça, c'est la Hère ! que dit Johnny.

— La Hère ! Sainte bénite ! que je dis en faisant le signe de la croix des deux mains.

— Tut, tut, tut ! Père Jos, que fit LaPicotte en me mettant la main sus l'épaule. Ayez pas peur, allez ! Donnez-moi une pipe de votre tabac, seulement. C'est comme l'écho de Zèbe Roberge. Vous croyez avoir entendu la Hère ; eh ben, c'était de l'émagination... Seulement, c'est pour ça comme l'aviron, y faut connaître la twiste.

Jamais j'ai pu y en faire dire plus long, les enfants, malgré qu'après c'te fois-là, je m'aperçus qu'il chargeait de plus en plus fort dans ma blague. Ça, c'était pas de l'émagination, sûr et certain.

Pour le reste, on a jamais pu savoir.

Une fois, j'en ai parlé à monsieur le curé. Il m'a donné des esplications qu'étaient ben correctes, je cré ben, mais que j'ai pas trop compris.

Ça parlait du vent... du ventre... ventri, menteri... je sais pas trop. Toujours que ça rimait ave cloque... berloque... *bad luck*... quèque chose comme ça.

Enfin, j'vous conseillerais de pas trop vous fier à ce micmac-là.

Table des matières

Achevé d'imprimer en Mars 1998 chez

VEILLEUX
IMPRESSION À DEMANDE INC.

à Boucherville, Québec